SCIENCE COMIC

Why?

Why? 컴퓨터

Staff

내용을 꼼꼼히 감수해 주신 분

박순백

1953년에 태어나 (주)한글과컴퓨터 부사장을
역임하였습니다. 현재는 언론학 박사로 컴퓨터
칼럼니스트로 활동중이며, (주)드림위즈 부사장으로
재직하고 있습니다. 또한 〈PC 문화론〉 외 12편의
책도 출판하였으며 컴퓨터 발전에 힘쓰고 있습니다.

밑글을 재미있게 써 주신 분

이광웅

서울에서 태어나 〈월간문학〉 신인상을 받아 문단에
나온 후, 〈물춤〉〈늪새〉〈야망〉 등 10여 편의
소설을 발표하였으며, 수십 편의 어린이 위인전기,
어린이 역사소설, 어린이 고전소설 그리고 창작동화
〈프라임 과학동화〉 60여 편 등을 발표하였습니다.

재미있고 알기 쉽게 만화와 그림을 그려 주신 분

박정훈

1974년에 태어나 스무 살에 〈벼룩이네〉로 만화계에
입문하였습니다. 〈도전 퀴즈왕〉〈공부 잘하는 법〉
〈과거로 뿅〉〈환경 이야기〉〈예절 이야기〉
〈what's up doogi〉 등 어린이 학습 만화를 주로
그리고 있습니다. 현재 프리랜서로 중고등학교에서
애니메이션 강의를 하고 있으며 단편 영화와 단편
애니메이션 제작도 겸하고 있습니다.
e-mail: giwoomi@hotmail.com

기획 및 편집책임 유인화, 백광균
편집교정 연양흠, 전윤경
사진 김창윤
디자인 김도현, 이정애, 김수인

Why? 컴퓨터

2001년 10월20일 1판1쇄 발행
2007년 4월2일 1판16쇄 발행

펴낸이 나성훈
펴낸곳 (주)예림당
등록 제4-161호
주소 서울특별시 강남구 삼성동 153
대표전화 566-1004
팩스 567-9660
http://www.yearim.co.kr
ISBN 978-89-302-0537-5 73560
ⓒ 2001 예림당

Why? 컴퓨터를 내면서

오늘날 우리 주변에는 어느 곳에서나 컴퓨터가
활용되고 있습니다. 가정에서 사용하는 전화기나
텔레비전, 냉장고와 세탁기 등등의 가전 제품에는
어김없이 마이크로 컴퓨터가 들어 있습니다.
은행에서는 전국적인 온라인 시스템으로 입금과
출금 업무가 신속, 정확하게 처리되고, 사무실에서는
복잡한 업무를 컴퓨터로 쉽고 빠르게 처리하고 있습니다.
공장에서는 제품 생산과 관리에도 활용되고 있으며, 병원에서는 환자를
진찰, 치료하는 데에 이용하고 있습니다.
자동차와 비행기, 선박, 인공 위성과 우주선, 원자력 발전소와 기상 관측소,
방송국 등등 컴퓨터는 어디서나 중요한 몫을 담당하고 있습니다.
또한 많은 사람들이 컴퓨터 게임을 즐기거나 인터넷을 통해 정보 교환을
하고 있습니다. 바야흐로 '컴퓨터 만능 시대' 인 것입니다.
이제 컴퓨터를 모르는 '컴맹' 은 지금의 '정보화 시대' 를 살아가기 힘들 것
입니다. 이에 어린이 여러분이 컴퓨터에 대해 부담없이 다가갈 수 있도록
보다 쉽고 재미있게 이 책을 만들었습니다.
컴퓨터는 사람을 대신하여 어렵고 힘든 일을 빠르게
처리하고 엄청난 양의 정보를 저장, 제공해 주는
우리의 친구입니다. 아울러 이런 컴퓨터를 사용함으로써
누리는 많은 이익을 보다 살기 좋은 사회를 만드는 데에
쓰도록 노력하기를 바랍니다.

Contents

키이잉~

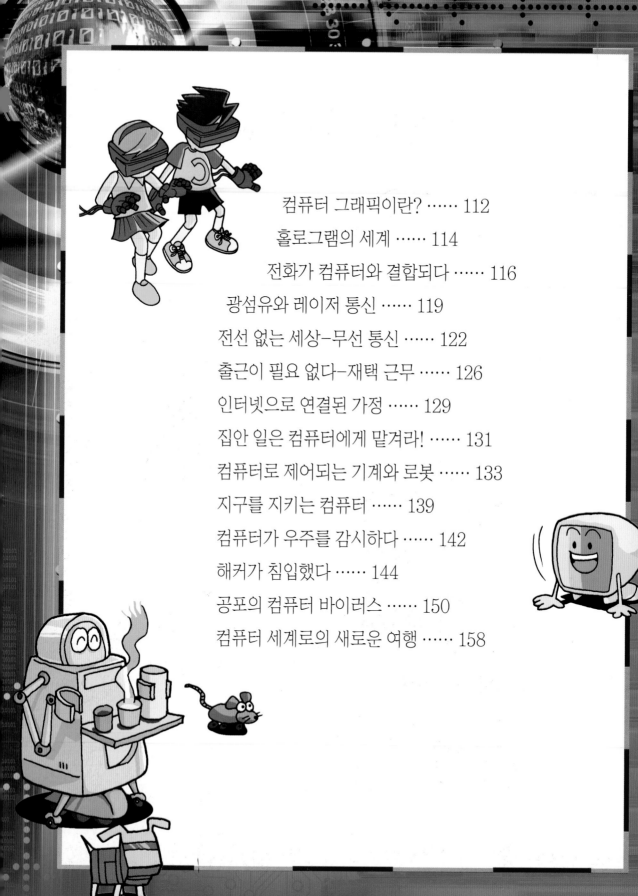

Character

헤르메스

컴퓨터로 만들어진 가상의 생물로
E-월드를 소개하는 도우미.
컴퓨터에 관한 거라면
무엇이든 척척박사!

미르

E-월드의 공주. 한때
E-월드를 마왕에게
빼앗기기도 했으나 다시
되찾았고 미래의 컴퓨터
세계를 보여 준다.

딩동이

컴퓨터에 관한 기초 상식을
설명해 주는 도우미.

엄지

똑똑하고 착한 마음씨를
가진 소녀. 어려움에
빠진 미르를 돕기 위해
꼼지와 함께 마왕과
맞선다.

꼼지

엉뚱한 소리를 잘하는
못말리는 개구쟁이.
하지만 마왕을 물리쳐
E-월드에 평화를
가져다 준다.

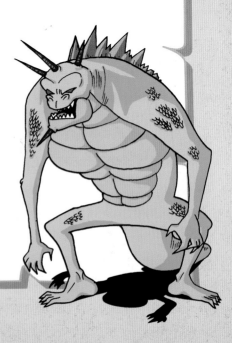

도대체 여기서
몇 번이나 죽은 거야?

GAME OVER

일곱 번 넘어져도
여덟 번 일어난다.
한판 더!

앗, 외삼촌이
화상 채팅을?
웬일이시지?

외삼촌,
웬일이세요?

CLICK!
CLICK!

꼼지야, 잘 있었니?
드디어 이 외삼촌이
'E-월드'를 완성했단다.

내일 시험 가동
하려고 하는데,
너도 보러 오련?

화상 채팅이란?

화상 채팅은 멀리 떨어진 사람과 영상, 음성을 주고받으며 마치 마주앉은 것처럼 대화하는 통신을 말한답니다. 기존의 문자 위주 채팅이 컴퓨터 기술의 발달로 실시간 생중계로 동영상(움직이는 그림 화면) 전송이 가능해진 것이죠.

정말로요?
와, 신난다!
당장 갈게요!

하하, 녀석. 내일 아침에
외삼촌 사무실로
오너라.

씨익!

알겠습니당!!

다음날 아침

꼬끼요~

나 닭 맞아?

에이,
엄만…

외삼촌 귀찮게
하지 마라.

엄지야!
안녕?

어?
꼼지네!

근데 어딜 같이
가자는 거야?

응!
우리
외삼촌
연구실에.

가상 현실의 세계, E-월드

외삼촌, 저 왔어요.

이쁜 엄지도 왔어요.

오! 엄지랑 꼼지 왔구나! 어서들 오너라. E-월드에 온 것을 환영한다.

우아! 웬 사람들이 저렇게 많아요?

너희처럼 E-월드를 시험해 보러 온 베타 테스터들 이란다.

잉? 배… 배를 탄 스타? 그게 뭐예요?

그게 아니라 베타 테스터란다. 하하하!

11

베타 테스터란 어떤 프로그램을 사람들에게 팔기 전에, 먼저 잘못된 부분이 없는지 시험해 보는 사람들을 말해.

음, 좋아.

프로그램 실행중

으쌰!

그런데 외삼촌, 프로그램이란 게 뭐예요?

잘 봐.

프로그램이란?

프로그램은 컴퓨터가 일을 할 수 있도록 해 주는 명령들의 모음이에요. 게임이나 통신 등 컴퓨터가 하는 일은 모두 이 프로그램의 명령에 따라서 움직이는 것이죠. 컴퓨터가 어떤 프로그램을 실행하는가에 따라 컴퓨터는 커다란 깡통이 될 수도, 아니면 만능 재주꾼이 될 수도 있습니다.

프로그램을 줄 테니 일할 준비를 해라.

날 깨우려면 프로그램을 실행시켜.

나! 시디롬.

촤르르르르...

좋아, 좋아. 프로그램을 주니 일을 아주 잘하는군.

자, 우선 둘 다 이 헬멧과 장갑을 끼도록 해라.

그게 뭐예요?

꼭 로봇 손 같아요.

이 헬멧은 HMD라고 하는데, 컴퓨터 영상이 직접 눈앞에 나타나 실감나게 느낄 수 있는 장치란다.

그리고 이 장갑은 너희가 손짓하는 그대로 컴퓨터에 전달해 주는 장치이다.

우하하, 이걸 쓰니까 꼭 우주선 조종사가 된 것 같아!

하~ 이쁜 나의 스타일은 영 구겨졌지만, 기분은 짱이다.

대체,
여기가
어디지?

쏴아아아

그… 글쎄.

안녕하세요?
엄지님, 꼼지님.
T-월드에 오신 걸
환영합니다.

누구세요?

모습을
나타내라!

꾸룽!!!

으버버버
도깨비다.

얘가 왜이래?

에잇,
받아라.

어머, 분명히
도깨비를 향해
던졌는데!

아, 미안.
도깨비는 내가 변신한
거였어. 난 헤르메스야.
앞으로 너희에게

E-월드를
소개할
도우미야.

에잇, 얍얍!
덤벼라,
도깨비야.

당장 나와서
정의의 주먹을
받아라.

......

재 좀 말려!

여기는
가상 현실의 세계야.
자, 한번 봐!

나 문어!

뒤뚱!

뒤뚱!

야옹

거기 서!

아니, 피라미드랑
이글루가 같이 있네?

하하, 저것 봐.
쥐가 고양이를
쫓고 있어.

후훗!

이런 일들이 가상
현실에선 모두
가능하다구.

가상 현실이란 현실이
아닌 것을 현실처럼 느끼게
해 주는 꿈의 기술이죠.
여기선 불가능한 게
없답니다.

꿈과 미래가
이 안에 가득!

이 책의
내용도 모두
가상 현실인지
몰라!

맞아! 가상 현실에선 그런 일들이 모두 가능해!

하지만 그건 어디까지나 가상 현실이야!

뭐야! 숙제가 하나도 안 돼 있잖아.

숙제는 네 힘으로 해라.

팟

아이스 크림도!

뿡

피클 누나도!

게임기도!

만화 영화도!

CC딱

쏴락~

뭐야, 그럼 결국 아무 소용도 없는 거잖아.

아니지. 어쨌든 가상 현실은 사람들에게 꿈을 보여 주잖아.

이를테면 게임 같은 것도 가상 현실의 하나야.

징~

게임과 현실을 착각하지만 않는다면 게임은 좋은 취미가 될 수 있다

STARCRAFT

19

컴퓨터를 아시나요?

그런데 아까 보니까 꽤 많은 사람들이 모여 있던데…

그 사람들은 마왕과 싸우려고 저기 보이는 마왕성으로 먼저 떠났어.

뭐? 마왕을 무찌르는 일이라면 이 꼼지가 앞장서야 되는데, 왜 지금 알려 주는 거야?

끙~

잠깐만!

다 다 다

슝

아직 두 사람은 마왕성에 갈 수 없어.

아니, 왜? 다들 갔는데 우리는 아직 안 된다니 그게 뭔 말이야?

……

왜냐하면 저 마왕성 입구에는 무시무시한 문지기 괴물이 있거든.

팡

윽.

그런데 그 괴물은 컴퓨터와 관련된 문제를 내서 그걸 맞히는 사람만 들여보내 준단 말야. 두 사람은 아직 컴퓨터에 관한 지식이 부족해서 들어갈 수 없어.

이것 좀 치워 줘!

크르르~

그러니까 두 사람은 먼저 나랑 컴퓨터 공부를 해야 돼.

…

기절했네.

컴퓨터고 뭐고 난 집에 갈래.

야! 어딜가!

척!

걱정 마. 이 누나가 컴퓨터를 확실하게 배워서 너랑 함께 저 마왕성으로 들어갈 테니깐.

잘난척은.

여기서는 공부도 재미있을 테니 걱정 마! 자, 그럼 이제 슬슬 컴퓨터 여행을 시작해 볼까?

짜르릉~

수판과 계산기에서 컴퓨터로

컴퓨터는 처음엔 계산기 개념이었어. 얼마 전까지만 해도 전자 계산기가 컴퓨터를 일컫는 말이었지.

사람들은 처음에 더 빨리 계산하기 위해 수판을 발명해 냈다. 수판은 단순한 형태지만 최근까지 계산하는 데 이용되었다.

자장면 127그릇에 군만두 84인분… 띵호아! 수판 덕분에 정말 계산이 편리해졌다해.

수판은 기원전 2600년경 중국에서 발명되었어.

에잇, 또 계산이 틀렸다해!

하지만 수판은 틀릴 수도 있고, 또 복잡한 계산을 하기엔 역부족이었어.

짤각 짤각

근데 저 청년은 누구야?

저분은 프랑스 철학자, 파스칼이야.

뭐? '인간은 생각하는 갈대' 라는 명언을 남긴 그 유명한 분?

응.

아버지가 요즘 너무 바쁘셔서 걱정이야. 저러다가 병이라도 나시면 큰일인데…

휴우! 웬 세금 계산할 일이 이렇게 많담? 세무서장 해 먹기 힘들어 죽겠네.

그래, 내가 자동으로 계산하는 기계를 만들어 드리는 거야.

깜짝야

뚝딱

뚝딱

휴우, 완성이다.

아버지, 이제부터 이 계산기를 쓰세요.

으응? 그게 계산기라고?

자, 보세요. 여기 톱니바퀴가 여러 개 있죠?

바퀴 하나 하나가 숫자의 단위를 나타내고

각 톱니바퀴에는 톱니가 10개씩 있어요.

23

이 톱니바퀴를 돌리면 자동으로 덧셈이 돼요.

오

드르르 드르르

오오, 정말 훌륭하구나! 계산이 한결 편해지겠어. 장하다, 내 아들!

헤헤, 뭘요.

파스칼의 계산기

파스칼은 18살 때인 1642년에 아버지를 위해 계산기를 발명해 냈습니다. 그러나 파스칼은 우리에게 과학자로서보다는 철학자로 더 잘 알려져 있습니다.

파스칼의 '인간은 생각하는 갈대다.' 라는 명언은 세계인이 즐겨 인용하는 말이죠.

파스칼의 계산기를 더욱 편리하게 바꾼 사람은

라이프니츠야. 그는 1673년에 사칙 계산기를 만들어 냈어.

에헴

나, 사칙 계산기는 덧셈, 뺄셈, 곱셈, 나눗셈까지 할 수 있는 기계야. 물론 톱니바퀴식 계산기지.

근데 실제로 해 보려니까 잘 안 돼. 어휴, 무거워.

헉헉!

힘들어서 더는 못 돌리겠다.

후훗!

그게 톱니바퀴식 계산기의 한계였어. 그래서 자동 계산기가 필요 하게 되었지.

잠깐!

그 후, 1944년에 미국에서

엄마야!

계산기 얘기를 하면서 나를 빼놓으면 서운하지. 잉!

쿠쿵!

히엑!

나는 영국 사람 배비지야. 자동 직조기의 원리를 이용해 전동 계산기를 만들었지.

놀랬 잖아요

이 기계는 입력 장치, 기억 장치, 연산 장치, 제어 장치, 출력 장치 기능을 갖춘 것이었어.

오늘날의 컴퓨터와 같군요.

그러나 이 전동 계산기는 끝내 사용할 수가 없었어.

왜요?

당시에는 공업 기술이 발달되지 않아서 계산기의 부속품을 만들 수 없었거든.

아저씨, 슬퍼 마세요.

배비지의 계산기(1829년)

이것 이후에 연구를 거듭하여 1944년에 미국 하버드 대학과 IBM사가 공동으로 세계 최초로 전동 계산기인 마크-I을 만들어 냈으니까요.

어떠냐! 비록 쓰이지는 못했지만 멋있지.

와!

그리고 2년 후에 마침내 세계 최초의 컴퓨터가 탄생했지.

빨리 만나러 가자!

알았어.

세계 최초의 컴퓨터 탄생

사실, 컴퓨터는 순수한 목적으로 연구된 게 아니야.

그럼?

컴퓨터는 처음에 전쟁을 위해서 연구된 거야.

으악

대포를 쏠 때 포탄이 떨어질 자리를 미리 계산하는 일이 무척 어려웠거든.

빨리 계산해!

알았어.

그래서 학자들은 더 빠르고 정확한 계산기를 개발하려고 노력했지. 물론 학문적 호기심도 크게 작용했고.

꽁꽁

깽깽

A학자

결국 1946년, 미국 펜실베이니아 대학의 모클리와 에커트에 의해 세계 최초의 컴퓨터 에니악이 탄생됐지.

와아

에니악은 그 때까지 상상할 수도 없었던 속도로 계산을 해냈어. 당시 사람들은 그 성능에 감탄했지. 그리고 이어서 영국의 케임브리지 대학에서 세계 최초로 프로그램 내장 방식 컴퓨터 에드삭을 개발했지.

에드삭 - 세계 최초의 프로그램 내장 방식 컴퓨터

말도 안 돼! 내가 70년 걸려 계산한 것을 40초 만에 끝내다니.

내 인생 돌려도

계산석

아저씨 계산 중엔 틀린 부분도 있어요.

에니악

저 아저씨 참 안됐다.

그래?

하지만 에니악은 너무 덩치가 큰 데다가

내 몸무게?

30t

무려 18,000개의 진공관으로 구성되어 있었어.

그런데 이 진공관은 수명도 짧고 쉽게 깨지는 단점이 있었지.

진공관이란?
유리나 금속 그릇 속을 진공 상태로 만들거나 다른 기체를 넣고 그 속에 전극을 넣어 전류가 흐르도록 만든 것입니다.

게다가 폰 노이만이 주장한 프로그램 내장 방식 역시 적용되지 않았어.

나, 폰 노이만이 주장하건대

인간의 두뇌처럼 프로그램을 컴퓨터에 미리 넣어 두어야 해!

요즘에는 프로그램이 내장되어 있지.

노이만 얘기가 나온 김에 튜링도 잠깐 살펴볼까?

내가 튜링이야.

난 1936년에 가상의 기계, '튜링 머신'을 발표했어. 난 구멍 뚫린 종이 테이프에 필요한 명령을 입력하면 마치 자동 기계처럼 컴퓨터가 작용할 것이라고 설명했지.

이것은 비록 가상의 기계라 해도 컴퓨터 이론을 증명했다는 데 그의 업적은 커.

촤르르르...

그의 업적을 기려 컴퓨터 학계에서는 튜링상을 제정했어.

에헴, 이제 날 좀 알아보겠지!

놀라운 속도로 발전하는 컴퓨터

1951년에는 최초로 상품화된 컴퓨터 유니박-I이 나왔어. 이 때부터 1950년대 후반 까지의 컴퓨터를

제1세대 컴퓨터라고 부르지.

제1세대 컴퓨터?

그게 무슨 뜻이야?

컴퓨터는 그 성능과 시대에 따라 몇 세대로 구분해. 그 중 진공관을 사용한 컴퓨터를 제1세대라고 해.

역시 진공관은 부피나 수명이 문제란 말야.

이걸 대신할 만한 뭔가를 만들어야 할 텐데…

바로 이거야!

드디어 해냈다!

우리가 바로 트랜지스터야!

나, 트랜지스터 1호. 1948년 미국의 벨 전화 연구소에서 게르마늄, 규소로 만들어졌지.

난 라디오 안테나 등에 이르는 약한 전기를 강한 신호로 바꾸어 스피커에서 소리가 나도록 증폭 작용을 해.

다리가 세 개야.

하지만 넌 너무 작잖아!

아얏!

허, 모르는 말씀! 전자의 세계에선 작을수록 좋다는 걸 아셔야지!

튀!

내가 진공관보다 천 배 작은 건 그만큼 빨리 계산할 수 있다는 뜻이라구.

그래?

트랜지스터의 성능은 어느 정도인가요?

우선 진공관 대신 사용하는 전자 부품이기 때문에 진공관과 비교해 보면 이해가 쉽습니다.

진공관보다 작다는 것이 최대 장점이지.

크기-진공관의 1/1000

전력 소모량이 적어서 좋고

전기 소모량-진공관의 1/10

가벼워서 좋고

무게-진공관의 1/100

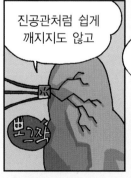

진공관처럼 쉽게 깨지지도 않고

진공관보다 10배쯤.

수명도 길어.

어때, 나의 성능 대단하지? 내 자랑을 더 해 볼까?

나를 써서 만든 컴퓨터를 제2세대 컴퓨터라고 하지.

그만큼 빨라졌거든.

바야흐로 반도체의 시대가 열리게 된 거야.

반도체?

반도체란?
저온에서는 거의 전류를 흘리지 않으나, 고온 상태에서는 전기 전도성이 높아지는 성질을 가진 물체를 말합니다. 실리콘이나 게르마늄 등이 대표적인 반도체입니다.

난 도체! 전기는 무조건 통과!

난 부도체! 전기는 절대로 통과할 수 없지!

난 반도체! 넌 통과, 넌 안 돼!

이런 반도체의 성질을 이용해서 트랜지스터나 다이오드를 만들 수 있게 된 거야. 이 두 소자의 결합으로 여러 가지 회로 구성이 가능해졌어.

다이오드?

다이오드는 또 뭐야?

한 방향으로만 전류를 통과시키는 물질이래.

기본이지, 뭐. 내가 너처럼 무식한 줄 알았니?

너 정말 엄지 맞아? 별걸 다 아네.

뭐라구?

다이오드 좀더 알기!

고체의 작은 물질로 어떤 조건에 의해 전류를 통과하게도 하고 통과하지 않게도 하는 것이랍니다. 즉 A에서 B로는 통하지만 B에서 A로는 안 통하는 일방 통행 물질이 다이오드랍니다.

가도 좋아.

쏙

땡큐.

못 가.

보내 줘.

잠깐, 이젠 저리 비켜.

아얏! 웬 녀석이냐?

드디어 IC의 등장이군.

저건 또 뭐야?

IC를 사용한 제2세대 컴퓨터야. 크기도 작아지고 모양도 좋아졌지.

컴팩-I / 미국(1978년)

오스본 / 미국(1981년)

솔 / 미국(1983년)

이제부터는 나 IC의 시대이며 제3세대 컴퓨터가 탄생했음을 선언하노라!

발발발발

다리는 8쌍

꺄악, 지네다!

우힛

……

지네라니? 내가 바로 IC야. 집적 회로라구.

마이크로칩 이라고도 하지!

집적 회로?

응! IC 안에는 트랜지스터나 다이오드가 약 백 개나 들어 있는 셈이거든.

집적 회로란?

다이오드와 같은 반도체로 만들어진 아주 작은 여러 개의 회로가 한 개의 판에 서로 떨어질 수 없는 상태로 결합하여 있는 초소형의 전자 회로를 말합니다.

IC(집적 회로)

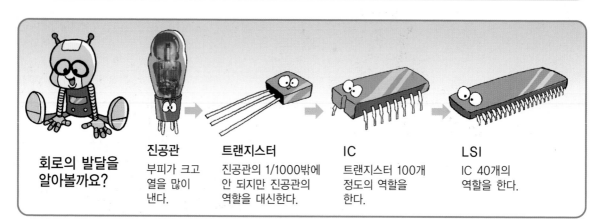

회로의 발달을 알아볼까요?

진공관
부피가 크고 열을 많이 낸다.

트랜지스터
진공관의 1/1000밖에 안 되지만 진공관의 역할을 대신한다.

IC
트랜지스터 100개 정도의 역할을 한다.

LSI
IC 40개의 역할을 한다.

집적도가 점점 높아져서
나 같은 LSI(고밀도 집적 회로)
나 VLSI(초고밀도 집적 회로)도
나오게 됐지. 음~

LSI(고밀도 집적 회로)

집적도에 따라 IC를 사용한
컴퓨터를 제3세대로, LSI나
VLSI를 사용한 컴퓨터를
제4세대로 나누고 있어.

손톱만한 집적 회로와 저장 장치

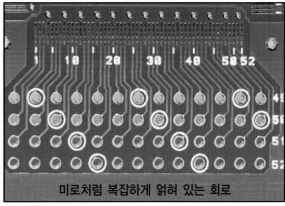

미로처럼 복잡하게 얽혀 있는 회로

인터넷 검색 기능이 있는 이동 전화

집적 기술의 발달로 에니악이 하던 계산을
오늘날에는 손바닥에 올려놓을 수 있는 정
도의 팜탑 컴퓨터, 포켓 컴퓨터 등이 대신
하게 되었다.

으윽, 이 쪼맨 것이
나의 성능을 훨씬
능가한다구?

넌
진공관을
수만 개나 가진
30톤짜리
괴물이지만
아마 날 당할
순 없을걸!

* 집적도 : 한 개의 판에 모아진 여러 개의 회로의 밀도. 집적도가 높을수록 회로의 수가 많다.

그럼 지금 컴퓨터들은 몇 세대인 거지?

가만!

글쎄, 이미 제5세대 컴퓨터에 접어들었다고 볼 수 있겠지.

와!

제5세대 컴퓨터는 인공 지능을 갖추고 있어!

호!

놀라운 발전이다.

그럼 미래의 컴퓨터는 어떻게 될까?

그건 이 책 끝쯤 가면 알게 돼.

컴퓨터는 불과 수십 년 사이에 엄청난 발전을 했어.

옛날에는 오늘날처럼 누구나 컴퓨터를 쓸 수 있으리라곤 생각도 못했지.

컴퓨터요?

천재들이나 쓰는 거지.

하지만 곧 SF에 나오는 로봇이 우리 주변에 나타나게 될 거야!

까악

SF라면 공상 만화 말야?

36

* SF : Science Fiction의 약자. 과학 소설.

SF는 공상 만화가 아니라 그냥 과학 소설을 말하는 거야!

응?

맞아! SF는 미래에 대한 예측이야. 사실 SF가 과학의 미래를 예언했고 그 예언대로 과학이 발달하고 있으니까.

〈달 세계 여행〉에서 달 탐사가

〈해저 2만 리〉에서 잠수함이

〈로보캅〉 시리즈에서 로봇 경찰이 등장했으니까.

호오, 그렇다면 사람들의 상상력이 미래를 이끌어 가는 원동력이 되는 셈이군.

그렇지.

넌 상상력이 없기 때문에 발전이 없겠구나?

으~

그지?

도망 가.

거기 서!

킥킥킥킥~

여러분도 상상력을 마음껏 키워 보세요.

컴퓨터의 구성

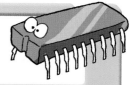

오늘날 모든 분야에서 활용되고 있는 컴퓨터네.

컴퓨터 세트다!

컴퓨터는 종류는 많지만 구조는 거의 같아.

컴퓨터는 일단 하드웨어와 소프트웨어로 나누지.

단단

물렁

하드는 딱딱한 것

소프트는 부드러운 것

즉 우리가 만지는 모든 기계 장치는 하드웨어이고

나도!

미 투!

소프트웨어는 눈에 보이지 않지만 하드웨어를 움직이는 기술이나 방법을 말해.

프로그램 실행!

실행중

인간에 비유하자면 하드웨어는 바로 몸이고

소프트웨어는 영혼이나 정신에 해당되지.

그… 그래, 그럴듯한 비유이긴 하지만.

엄지, 안녕!

으ㅇㅇㅇ

놀라긴. 이게 다 가상 현실 이라 가능한 일이라구.

너~

이건 어떠냐?

오~

40

이제 컴퓨터의 5대 기본 기능 장치를 하나씩 알아볼까?

아래 그림을 보면 어떤 것들인지 알 수 있을 거야.

컴퓨터의 5대 기본 기능 장치란?

컴퓨터의 기본 구성은 입력 장치, 기억 장치, 제어 장치, 연산 장치, 출력 장치로 되어 있어요. 이는 영국의 수학자 배비지가 고안한 전동 계산기의 구조를 그대로 본딴 것입니다.

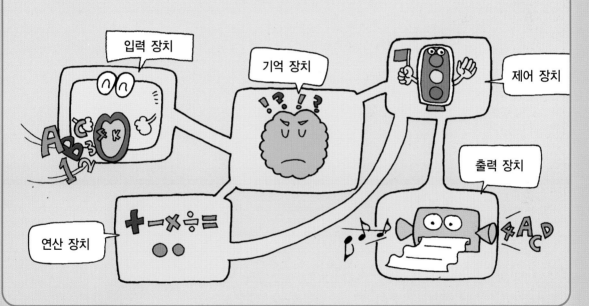

입력 장치

기억 장치

제어 장치

출력 장치

연산 장치

저 장치들은 무슨 일을 하지?

그게 바로

지금부터 알아볼 내용이야.

자, 그럼 입력 장치부터 알아볼까?

응!

헥헥

헉

꺽줄

엉? 저기~

와! 자판기다.

으앗, 목말라!
빨리 가자!

아얏!

부다다다

우켁
켁

난 사이다.

난 콜라!

어? 어딨지?

왜 그래?

없다.

여기도 없고

도… 동전 넣는 데가 없어!

뭐라고?

왜 그래? 안 돼?

망했다

동전 투입구가 없어.

꽝

에잇, 콜라 내놔.

소용없어. 이 자판기에는

입력 장치가 없는 거야.

헤로롱~

입력 장치?

정보를 받아들이는 것을 입력이라고 하는데 입력 장치가 없으면 컴퓨터는 외부에 반응하지 않아.

입력 장치를 써서 날 깨워.

사람들이 눈이나 귀로 정보를 받아들이듯이

신나는 음악이네.

사과 나무다.

뭘봐!

컴퓨터 역시 입력 장치가 필요한 거야.

그렇지.

그렇다면 컴퓨터의 입력 장치에는 뭐가 있는데?

콜라 콜라~

가장 대표적인 입력 장치로는 키보드를 들 수 있어.

자판을 쳐서 한글, 영문, 숫자 등을 컴퓨터에 입력시킬 수 있지.

최근에는 마우스도 널리 쓰여. 쥐를 닮았다 해서 마우스라고 해.

볼을 이용한 볼 마우스, 빛을 이용한 광 마우스, 노트북에 많은 트랙볼, 터치패드 등 다양하지.

사진이나 그림을 읽는 스캐너도 입력 장치야.

사람처럼 눈이나 귀가 있으면 좋을 텐데.

그러게.

디지털 카메라나 마이크로폰을 이용한 인식 방법도 있어.

물론 그 성능도 점점 발전되고 있지.

꺼져라!

파

떡

아~ 목말라. 더 이상 못 참겠다.

너무 목이 말라 꼼지의 연산 장치에 문제가 생겼나 보다.

연산 장치?

컴퓨터의 계산 왕 — 연산 장치

글자, 기호를 비교하여 판단할 수도 있어.

물론 여러 가지 색도 구분해 찾아내지.

즉 인간이 생각하는 일을 연산 장치가 한다고 보면 돼.

게다가 속도도 엄청나게 빠르다구.

그리고 고장이 없는 한 절대로 틀리는 법이 없지! 어때? 대단하지?

으쓱!

그럼 잘못된 연산, 즉 오류가 발생하는 건 무엇 때문이지?

그것은 말이지, 음~

너무 열심히 일하다 보면

가끔 열받아서 그런 거야!

키킥!!

후훗!

컴퓨터의 교통 경찰 — 제어 장치

멈춰라!

후훗, 내가 누구냐고? 나는 컴퓨터의 교통 경찰

제어 장치다.

모든 정보는 내 지시에 따라 움직이지.

뭐? 음료수를 보내 달라고?

내가 나갈 차례니?

사이다군! 자넬 부른 게 아냐.

콜라군, 준비하게.

앞으로!

네!

자! 어서 출동해랏!

출구

오케이!

그리고 100원 짜리 동전들 앞으로 나와!

거기 10원 짜리, 넌 빠져!

척 척 척 척

넹

앞에 둘, 반환구로 나가게.

100

안녕~

딸칵! 떨칵!

휴우~ 내가 하는 일 잘 봤나? 필요한 정보를 필요한 곳에 보내는 게 내 일이야.

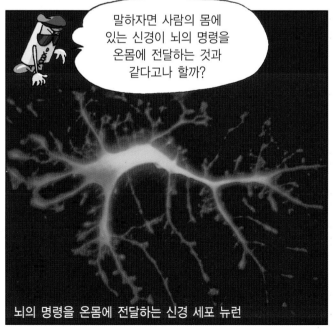

말하자면 사람의 몸에 있는 신경이 뇌의 명령을 온몸에 전달하는 것과 같다고나 할까?

뇌의 명령을 온몸에 전달하는 신경 세포 뉴런

중앙 처리 장치(CPU)란?

근데 궁금한 게 있어. 보통 CPU라는 말을 많이 하는데 그게 뭐야?

CPU는 중앙 처리 장치야. 인간의 몸에 비유하면 두뇌에 해당되는 아주 중요한 부분으로

연산 장치와 제어 장치를 말해.

개굴

흔히 486이니 펜티엄이니 하는 게 CPU를 말하는 거야. 용량이 아니라 처리 속도로 성능을 판단하지.

무슨 소리야, 너무 어려워.

우그적

난 컴퓨터 업계의 황제 인텔이다. 미국의 컴퓨터 업계는 나를 따르라!

깨갱

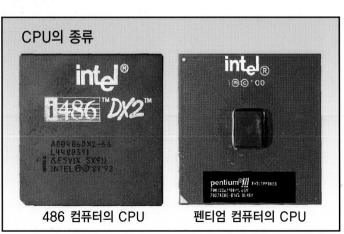

CPU의 종류

intel® i486™ DX2™

A80486DX2-66
L4488391
&E5V1X SX91}
INTEL©89'92

pentium III F-T.IPPINES

486 컴퓨터의 CPU

펜티엄 컴퓨터의 CPU

내가 컴퓨터 업계 최초로 PC (개인용 컴퓨터)용 CPU인 8086 제품을 만들어 냈지.

우아! 처리 속도가 무쟈게 빠르다.

이어서 80286, 80386, 80486 등 CPU 처리 속도가 더욱 빠른 제품을 발표했어.

난 대성공을 거두었고 사람들은 386 컴퓨터니 486 컴퓨터니 하며 우리 제품만 찾았다구.

그러자 다른 회사에서도 똑같은 제품을 내놓았지. 그래서 난 성능을 더 높여 펜티엄이라고 이름을 바꿨지.

486이나 펜티엄은 인텔사의 CPU 이름이다. M-II는 사이릭스 사, K-6 III는 AMD사, G3, G4 는 애플사가 붙여 낸 이름이다.

그러니까 나는 펜티엄이고 너는 286 정도라는 거네.

하하.

51

컴퓨터의 전자 두뇌 — 기억 장치

그러니까 아까 남은 돈이

어? 연산 장치네.

?

연산 장치야, 지금 뭐 하는 거니?

앗! 까먹었다.

으앙, 나 좀 도와 줘. 난 계산은 빠르지만 기억력은 꽝이야.

저런, 그럼 내가 기억 장치를 소개시켜 줄게!

안녕! 난 기억 장치야. 그냥 램이라고 불러 줘. 앞으로 너의 계산을 도와 줄게.

와아, 정말 반갑다.

좋아! 난 계산만 할 테니까 내가 언제든지 꺼내 쓸 수 있게 기억해 줘.

걱정 말고 넌 계산이나 빨리 해!

램은 연산 장치를 도와 그때그때 정보를 저장하고 뺄 수 있게 도와 주지.

정보를 주고받는 것도 얼마나 빠른데.

기이잉

우리가 많으면 많을수록 연산 장치는 방대한 계산도 더 빨리 할 수 있어.

차ㄹㄹㄹ

너무 자만하지 마라.

앗! 전원이 꺼졌다.

램, 전원이 꺼져서 잠깐 쉬었지?

좀 전에 계산한 정보 좀 주겠니?

아"저 고계"

다 까먹었어!

RAM

뭐… 뭐라고?

그것 봐. 제아무리 기억력이 좋고 빠르다지만 전원이 끊기면 램의 기억은 지워져 버려. 이게 단점이야.

그걸 왜 이제 말하는 거야?

몰랐어.

RAM

그럼 어떻게 해? 전원을 항상 켜 둘 수도 없구!

걱정 마. 보조 기억 장치가 다 기억하고 있어.

반가워! 난 하드 디스크야. 램보다는 느리지만 엄청난 양을 기억할 수 있다고.

보조기억

전원이 꺼져도 한번 기억한 걸 지우지 않는 한 끝까지 기억한다구.

안녕, 난 디스켓이야.

난 하드 디스크보다는 느리지만 작아서 정보를 주고받기에 편리해 많이 쓰인다구.

주기억 장치에는 RAM말고도 ROM이란 것도 있어.

룸?

룸이 아니라 롬.

나에겐 컴퓨터의 여러 장치들을 제대로 동작하게 하는 프로그램이 들어 있지.

전원이 꺼져도, 지우려 해도 지워지지 않아.

안전하게 기억하기 위해서 새로운 정보를 기억하지도 않아.

정보

우리가 모여 컴퓨터의 두뇌가 되는 거야.

ROM   RAM

자, 이제부턴 컴퓨터의 입과 손이 되는 출력 장치를 만나러 가 볼까?

그래.

54

컴퓨터의 입과 손 — 출력 장치

출력 장치란 말은 꽤 어려운걸.

안 어려워!

휴!

출력 장치란 컴퓨터가 한 일을 내보내는 장치란 뜻이야!

너희는 다른 사람에게 어떤 방법으로 너희의 생각을 전달하지?

말로!

몸짓으로.

와!

글로 쓰기도 해.

컴퓨터도 마찬가지야. 컴퓨터가 한 일을 사용자에게 전달하려면 말하거나 보여 줘야 해.

3×5는?

앗!

계산은 다 끝냈는데 출력 장치가 없으니

알려 줄 방법이 없네.

빨리 결과를 알려 줘!

깜짝야.

탁!

자, 대표적인 출력 장치, 모니터야!

그리고 종이에 인쇄해 주는 프린터도 있고

컴퓨터의 입인 스피커.

우리는 출력장치

난 아냐.

어때? 출력 장치에 대해 알겠지?

뭐야, 제일 쉽잖아.

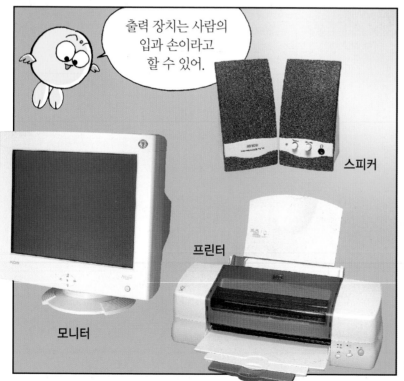

출력 장치는 사람의 입과 손이라고 할 수 있어.

모니터

프린터

스피커

그런데 요런 출력도 하나?

그런 출력 장치는 없어.

정보 교환에 필요한 약속 — 인터페이스

고장난 프린터를 팔다니 용서 못해.

히잉

잠깐

프린터의 인터페이스는 확인하셨나요?

인터페이스? 그게 뭔데?

인터페이스란 하드웨어를 서로 접속시키는 규격을 말합니다.

A 하드웨어

철컥!

B 하드웨어

요렇게 맞아야 하죠.

나는 USB라는 인터페이스야. USB 손들어.

난 AV포트.

난 ADB.

난 패러럴.

난 EIDE.

USB는 없네!

난 SCSI.

이렇게 모든 하드웨어들은 각각의 성능에 따라 서로 다른 인터페이스를 갖고 그것에 맞는 케이블로 연결되죠.

다들 잘 만났으니 일들하자구!

본체

웅

이 프린터는 USB와 패러럴을 가지고 있어요. 패러럴 인터페이스로 해 봐요.

인터페이스를 잘 맞춰 줘.

와! 된다.

기잉 기잉

57

인터페이스를 모르면 컴퓨터 주변 기기를 쓰지도 못하겠네.

물론이지.

마찬가지로 소프트웨어 역시 인터페이스가 맞지 않으면 쓸 수 없어!

프로그램 끼리에도?

프로그램 중에 왕은 바로 운영 체제(OS)인데 회사로 치면 사장님 같은 프로그램이야.

바로 내가 사장이다.

윈도우즈 2000

Mac OS

나도 사장이라구.

나도.

Linux

대부분 프로그램들은 운영 체제가 발표한 인터페이스에 따라 개발되어 그 운영 체제에서 활동 하는 거야.

이리 와.

윈도우즈

와!

매OS

우린 이쪽.

와!

우린 이쪽.

와!

와!

이걸 응용 프로 그램 인터페이스 라고 해.

컴퓨터 세상에도 까다로운 규칙이 많구나.

규칙이란 건 더 좋은 환경을 만들기 위한 거야!

역시 엄지는 똑똑해.

컴퓨터와 대화를 나누다

마왕성은 아직 멀었니?

바스락

앗, 거기 누구냐?

내가 가 보고 올게.

으앗!

우우우

헤르와 비슷하게 생겼다.

너무너무 귀엽다!

헤르보다 열 배는 귀여운데!

지금 그런 소리할 때가 아니잖아!

우

011011101001.

101101110
11101001.

훌쩍~

헉!

헤…헤르,
너 왜 그래?

길을
잃었대.

101110111010110
11101100111.

이름은
미르래.

갑자기 이상한 암호로
말을 하면 어떻게 해?

맞아, 우리는
전혀 알아들을
수 없잖아.

이건 컴퓨터 언어야.
컴퓨터에서 가장 기본이
되는 말이라구.

1101101111
011110111.

두 사람
만나서
반갑대.

무슨 컴퓨터 언어가
그래? 0과 1만 쓰잖아.

그걸로
뜻이 통한단
말야?

물론이지. 컴퓨터에서 쓰는
언어는 모두 0과 1로만
이루어져 있어.

거짓말 마.
단순히 0과
1로만
되어
있다니.

여기 존재하는 모든
것도 0과 1로만
이루어져 있어.

호으~

10110
11100.

컴퓨터에게도 언어가 있다

자세히 설명해 줘. 컴퓨터 언어에 대해서.

알았어. 컴퓨터엔 언어가 정해져 있는데 프로그램 짤 때 쓰기 때문에 프로그래밍 언어라 불러.

컴퓨터가 전기로 움직이는 건 알고 있겠지?

그래서 컴퓨터는 전류가 흐르느냐 아니냐에 따라 모든 걸 판단해.

찌지지지직

전류가 흐르면 1이고

흐르지 않으면 0으로 알지.

슈우~

휴~

이걸 디지털 신호라고 해. 이 신호를 받아서 여러 가지 정보를 만들어 낸다구.

애개개! 겨우 0과 1로 얼마나 만든다구?

그렇지 않아! 여길 봐. 손전등 2개가 있지?

이것을 켜고 끄는 것만으로도 4가지의 신호를 보낼 수 있어.

2개로?

응! 우선 전등이 꺼졌을 때를 0

켜진 상태를 1로 정하는 거야.

자, 그럼 2개를 나란히 놓고 보자구! 모두 꺼진 상태니까 00

0 0

왼쪽만 켜졌을 땐 10

1 0

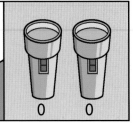

오른쪽만 켜졌을 땐 01

0 1

모두 켜졌으니까 11이야!

1 1

정말 4가지 신호가 만들어졌네!

그래 봤자 그 정도로 뭘 한다구…

그래? 그럼 더 놀라운 걸 보여 줄게.

3개의 손전등으로는 몇 개의 신호를 만들 수 있을까?

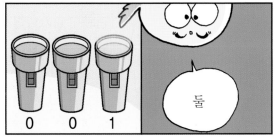

어때? 손전등이 1개 늘어날 때마다 가능한 신호수는 2배가 된다구.

그럼 만약 손전등이 4개라면?

표현 가능한 정보는 16가지네.

손전등이 32개라면? 계산할 수 있겠어?

몰라!

우아, 4억 가지가 넘는대.

4억?

이런 손전등의 수를 비트(Bit)라고 하고

비트가 8개 모인 것을 바이트(Byte)라고 해.

몇 메가 바이트니 기가 바이트니 하는 게 그 뜻이구나.

메가는 백만, 기가는 시… 십억?

그런데 이상해. 요즘 컴퓨터는 모두 고급 언어를 사용할 수 있는데

미르는 저급 언어만 쓰네.

유유

10111001
00011100
10100011.

고급 언어? 저급 언어?

언어에도 고급, 저급이 따로 있나?

컴퓨터가 쓸 수 있는 언어는 한 가지만이 아니야.

사람들이 여러 가지 말로 의사 소통을 하듯이, 컴퓨터도 여러 언어를 사용할 수 있어!

헬로우!

니하오!

오하요!

아까는 모든 것이 0과 1로만 이루어진다고 했잖아.

0과 1만 있으면 되는 거 아냐?

우우

물론이야. 기본적으로는 0과 1로만 된 언어를 써. 이걸 '기계어' 라고 불러.

나? 기계어.

그렇지만 사람이 컴퓨터에 직접 0과 1로 일을 명령 하기는 쉽지 않다고!

1000110101110010
1011011100110010
011000110.

111001100110001
1010001101011
001011010010.

글로 쓰면 십 분 이면 끝날 것을 0과 1로 쓰려니

무지 복잡하고 시간도 엄청나게 걸리네.

그래서 사람들은 보다 쉽게 알아볼 수 있는 언어를 필요로 했지.

좀더 쉬운 언어가 필요해.

그래서 컴퓨터가 이해할 수 있는 복잡한 기계어를 쉽게 줄여서 쓸 수 있는 다른 언어를 만들었지.

아! 이제 쉽다.

처음에 복잡한 숫자를 알파벳 기호로 바꾼 어셈블리어가 만들어졌고

MOVE.W.DO.D1
= $3200

점차 여러 목적에 따라 베이직, 포트란, 코볼 등의 언어가 만들어졌어.

이번엔 코볼로 프로그램을 만들어야지.

이렇게 만들어진 언어는 프로그램을 거쳐 다시 기계어로 바뀌어 컴퓨터에게 명령을 전달하는 거야.

알았어.

어셈블리어, 코볼
베이직, 포트란   번역   기계어

그럼 일일이 기계어를 쓸 필요가 없겠네.

그렇지!

예전에는 기계어에 가까운 베이직, 포트란, 코볼이 많이 쓰였지만

아항, 기계어에 가까운 것이 저급 언어고

최근에는 보다 발달된 C언어나 C++을 많이 쓰고 있어. 또 JAVA나 MFC 같은 새로운 언어가 계속 나오고 있어.

사람들이 좀더 쓰기 쉽게 개발된 언어가 고급 언어구나.

그럼 컴퓨터를 잘 쓰려면 컴퓨터 언어를 꼭 배워야겠네.

으~ 싫다 싫어!

꼼지 외삼촌 같은 프로그래머가 될 거라면 컴퓨터 언어를 꼭 배워야겠지만

일상 생활에서 컴퓨터를 쓸 때는 필요한 프로그램의 사용 방법만 알면 돼!

꺄르르

휴~ 다행이다.

컴퓨터에 그림을 그릴 때도 과거에는 일일이 명령어를 입력해야 했지만

동그라미 그리기 힘들다

탁 탁 탁

요즘 나온 프로그램들은 실제 그림을 그리듯이 입력할 수 있게 만들어졌기 때문이야.

와! 쉽다.

쓱 쓱

배가 고프면 밥하는 법을 배워야지

벼 키우는 법까지 배우지 않아도 되는 거랑 같은 거야.

후후훗

우우

밥 얘기 하니까 배고프다.

그렇지만 미르와 직접 대화를 하려면 조금은 배워야 하지 않을까?

우우!

아! 그거라면 걱정하지 마!

윽..

미르! 내 눈을 봐!

삐릭

으응.

이 응큼한 녀석, 미르한테 무슨 짓을 하는 거야!

아얏

아잉!

미르에게 말하는 프로그램을 넣어 준 거야!

뭐?

악악

와, 제가 정말 말을 해요!

제가 다시 말을 하게 됐어요.

어?

정말 말을 한다!

기계어가 아니다!

흥

너무 좋아요!

이렇게 다시 말을 하게 될 줄 몰랐어요.

여러분, 정말 고마워요!

반가워!

헴

특히 헤르메스님!

쪽

앗!

하하 하 하하 하하

빨개졌다!

헤헤 헤헤

68

가자, 마왕성으로

그런데 미르야, 너 어디 가려는 거였니?

길을 잃었다고 했잖아. 괜찮다면 우리가 같이 가 줄게.

저… 그… 그게 사실 좀 위험한 곳이라…

이 헤르메스가 있는데 뭐가 걱정이야.

후훗!

정의의 용사 꼼지도 있다구!

고마워요. 하지만

제가 가려고 하는 곳은 무서운 마왕이 사는 마왕성이랍니다.

뭐? 마왕성?!

잘 됐다. 우리도 마왕성에 가는 중이었거든.

으이그, 이 바보!

아야

팍씬!

그런데 어째서 그렇게 위험한 곳엘 가려는 거니?

왜때려? 으씨

사실 전 이곳 E-월드의 공주예요. 그런데

마왕의 저주를 받아 성과 친구들을 모두 빼앗겨 버렸어요.

훌쩍 ~

뭐야? 당장 가서 마왕을!

가긴 어디를 간다는 거야!

탁

이거 놔!

들어 봐.

뭘?

불행히도 아직 우리 힘으론 마왕을 상대하기는 힘들어.

컴퓨터에 대해 좀더 공부하지 않으면 오히려 우리가 당하게 돼!

뭐가 걱정이야. 컴퓨터 박사인 헤르 네가 있는데…

맙소사!

마왕을 상대할 수 있는 건 꼼지와 엄지, 너희뿐이야.

앗!!

뭐?

미르 공주님과 나는 어차피 그들과 같은 컴퓨터일 뿐이라고. 컴퓨터를 이길 수 있는 건 인간뿐이야.

착

그래요.

그… 그렇지만 인간인 우리가 어떻게 커… 컴퓨터 마왕을 이기냐?

말도 안 돼.

달 달 달 달

마왕은 다른 베타 테스터들에게 맡기고 우린 여기까지만.

휙~

어딜 가!

너라면 충분히 마왕과 싸워서 이길 수 있을 거야.

이러지 마! 난 3대 독자란 말야.

지 지 지 직

난 조금 무섭긴 하지만 해 볼 거야!

그렇지 않으면 미르가 너무 불쌍하잖아.

팟!

엄지야.

미르, 헤르, 도와 줄 거지?

그럼요.

물론!

끄응~

앗..

실망이다, 꼼지.

겁쟁인 필요 없어.

번쩍~!

누가 겁쟁이 라는 거야?

그따위 기계어로 된 마왕이 누가 무섭대?

꼼지님!

이 꼼지가 컴퓨터 마왕을 응징해 주겠노라!

와! 정말 잘 생각했어.

진작 그럴 것이지!

으으, 나 멋있어?

마왕성으로 가자!

네트워크를 짜는 거미

힘들다, 헤르야!
조금만 쉬었다
가자, 응?

조금만 힘내.
이 숲에는 무서운
거미가 살고
있단 말야.

그래요, 이
숲만 지나면
안전할 거예요!

헹~ 뭐야, 그깟
거미 따위 하나도
안 무섭다고.

난 좀
쉬었다
갈래!

뭐…
뭐냐?

으아앗, 나타났다!

도망쳐!!

으앗! 사방이 거미줄로 둘러 싸였어.

낄낄낄. 어딜 도망가려고! 너희는 독 안에 든 쥐야!

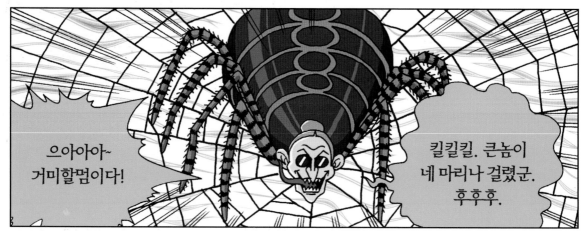

으아아아~ 거미할멈이다!

킬킬킬. 큰놈이 네 마리나 걸렸군. 후후후.

헤르야, 네가 어떻게 좀 해 봐!

소용없어. 이 거미줄에 걸리면 빠져 나갈 수 없어!

킬킬킬. 귀여운 것들. 고것 참 맛있게 생겼다.

으아아, 저는 목욕을 안 해서 마… 맛이 없어요!

맛이라면 여기 찐빵 같이 생긴 헤르가…

누가 찐빵이야!

시끄러워!

너희를 마왕성에 제물로 바칠 거야!

마… 마왕성?!

그렇다. 마왕성의 저녁상에 올라갈 테니 얌전히 따라오는 게 좋을 거야.

신선한 상태로 옮겨야 되니까 조용히 내 뱃속에 하나씩 타라!

으앗! 배가 열렸어!

75

마왕성까지 편하게 가게 생겼네. 히히~

웃음이 나오냐?

다 탔느냐? 곧 출발할 테니 각오들 해라!

이것 봐. 여기 창문도 있어!

관광하는 게 아냐!

휘청

어이쿠!

위익

으아앗!

살살 달려.

쏴악

촤샤샥!

76

대단해! 엄청나게 큰 거미줄 위를 달리고 있어!

네트워크의 거미줄이야. 이 거미줄은 E-월드 어디라도 가장 빠르게 갈 수 있게 연결되어 있어.

뭐?

네트워크?

네트워크란 연락망이란 뜻으로 컴퓨터와 컴퓨터 사이의 연결을 말해.

사람들도 다른 사람과 정보를 교환하기 위해 여러 방법을 사용한다.

말을 하거나

신호를 보내거나

글을 통해서

마찬가지로 컴퓨터 사이에도 정보 교환을 위해 네트워크가 필요하다.

컴순아, 네가 좋아.

아이, 부끄러워.

궁금한 게 있어. 그거 출력 장치랑 비슷한 거 아냐?

음

그렇지 않아.

출력 장치는 컴퓨터의 정보를 사람들에게 알리는 거지만 네트워크는 컴퓨터끼리 정보를 주고받는 거라구.

예를 들어 네가 버섯 전골을 만들고 싶은데 방법을 모른다고 하자.

이걸 어쩐다지?

내 컴퓨터엔 요리법이 안 나와 있는데.

그러면 요리법이 나와 있는 다른 컴퓨터와 연결하면 버섯 전골 요리법을 가져올 수 있다.

야! 찾았다.

하나의 컴퓨터가 모든 정보를 갖고 있을 수는 없으니까

난 A에 대한 정보를 갖고 있어.

난 B에 대한 정보가 있어.

다른 컴퓨터와 네트워크를 통해 정보를 나누는 거죠.

우리가 가지고 있는 정보를 서로 나누면

서로 A와 B에 대한 정보를 갖게 되지.

이런 네트워크에 연결되는 컴퓨터가 늘어날수록

손에 손잡고~♪

공유되는 정보의 양도 늘게 되죠. 네트워크 전체가 그만큼 똑똑해지는 거라고 보면 돼요.

21세기에 들어와서 컴퓨터에 관한 개발의 대부분은 네트워크 와 관련되어 있어.

게임

증권

상거래

음… 말하자면, 네트워크란 연결된 전자 두뇌 같은 건가?

응, 그럴 수 있지.

엄지야! 우리 사이에도 확실한 네트워크가 필요할 것 같아.

어머, 왜?

그럼 시험 볼 때 편리하잖아.

어휴!

맙소사!

정보의 바다 인터넷

그런데 난 컴퓨터끼리의 연결을 인터넷이라고 알고 있었는데, 그게 아니니?

네트워크

인터넷

인터넷도 네트워크의 일부야. 인터넷은 가장 거대한 네트워크라고 볼 수 있지.

인터넷은 전 세계를 하나로 엮어 주는 컴퓨터 통신망이거든.

Oh!

안녕!

Hi!

전 세계 사람들과 컴퓨터로 대화를 나눌 수 있는 것도 인터넷 덕분이라구.

맞아! 인터넷을 통해 세계의 어린이들과 친구가 될 수도 있다고 들었어.

말이 통해야지.

그런데 누가 그렇게 훌륭한 걸 만들어 냈지?

안타깝게도 인터넷 역시 전쟁에 의해 생겨났어요!

전쟁이라고?

맞아. 앞에서도 말했듯이 컴퓨터는 군사용 목적으로 만들어졌어.

컴퓨터에 의해 탄착지점을 안다.

만약 군사용 컴퓨터를 한 곳에 두었다가 폭격 이라도 당하면 크게 불리해 질 것 아니겠어?

우!

퍼퍼펑!!

그래서 컴퓨터를 여러 곳에 분산시켜 정보를 보관하게 되었고

이 컴퓨터들끼리의 연결이 바로 인터넷의 기원이 된 거야!

어휴! 인터넷까지 전쟁 때문에 생겼단 말야?

하지만 좋은 목적으로 쓰여서 다행이야.

재밌다! 인터넷에 대해 더 설명해 줘.

알았어.

먼저 WWW(월드 와이드 웹)에 대해 설명해 줄게.

World Wide Web

'따따따'라고도 읽어요.

Web은 거미줄이란 뜻이야. 세계를 거미줄 처럼 얽어 놓았다고 해서 WWW이지.

이 거미줄 위에 사람들이 정보를 담은 집을 짓지.

그런 집을 웹페이지 (Web Page)라고 해.

인터넷에 집짓자!

대게 여러 웹페이지가 모여 하나의 사이트(Site)라는 단위를 이루게 되지.

웹사이트는 웹페이지의 꾸러미라고나 할까?

특히 하나의 사이트에서 가장 먼저 나오는 웹페이지를 홈페이지(Home Page)라고 해. 하지만 그냥 홈페이지란 말이 대표적으로 쓰이고 있어.

홈페이지라면 나도 알아! 우리 고모부도 홈페이지를 갖고 계시거든.

왜 나만 모르지?

그래. 홈페이지를 갖고 있는 기업이나 개인이 점점 늘고 있지. 이제 개인도 홈페이지를 갖는 건 거의 필수야.

그럼 홈페이지를 만들려면 어떻게 해야 하지? 어른들께 부탁드려야 하나?

아니야. 홈페이지는 누구나 쉽게 만들 수 있어. 너희도 할 수 있어.

정말?

예전에는 홈페이지 제작이 쉽지 않았어. 직접 여러 가지 언어를 공부해서 만들어야 했거든.

HTML이니 CGI니… 아아, 어렵다!

이런 프로그램의 사용법 등을 다룬 홈페이지 제작에 관한 좋은 책들도 서점에 많구.

하지만 요즘은 홈페이지 제작을 도와 주는 프로그램이 많이 나와서 누구나 쉽게 만들 수 있어.

야, 정말 편리하구나!

정말 쉽다.

나도 홈페이지를 만들어야지.

이런 웹페이지 사이를 자유롭게 오가고

또 그 안의 정보를 볼 수 있게 도와 주는 역할을 하는 게 무엇인지 아니?

글쎄…

난 알아!

그건 바로 우리가 타고 있는 거미할멈이지.

크크크~
거미할멈
이라고?

아닌가?

아주 틀린
말은 아니에요!
인터넷상에서
거미할멈 역할을 해
주는 소프트웨어를
브라우저라고 해요.

응!

사람들은 브라우저를
타고 웹 위를 자유롭게
여행할 수 있는 거야.
최초의 브라우저는
'모자이크' 였어.

지금은
'넷스케이프' 나
'인터넷 익스플로러' 가
많이 쓰이지.

그럼 실제 원하는
페이지로 가고
싶으면 어떻게 하지?

이렇게 링크(연결)를
따라 정보를 찾아볼
수 있지!

직접 브라우저에게 가고자 하는 주소를 입력하는 방법도 있다.

여기로 데려다 줄래?

오케이!

어, 웹페이지에도 주소가 있나?

설마 우편번호도 있는 건 아니겠지?

우편번호는 없어. 웹 주소도 실제 주소처럼 페이지마다 하나씩 있는데 이런 주소를 URL이라고 하지.

한 주소가 2개의 페이지를 가리키면 곤란하겠지?

나한테 온 거야.

아냐, 내 거야.

안 돼, 이러고 있을 시간이 없어!

?

?

?

인터넷이 꽉 차기 전에 빨리 우리 집을 만들어야겠어!

크~

인터넷의 주인은 따로 없다

걱정 마. 인터넷은 우주만큼이나 넓어서 꽉 찰 염려는 없어.

그… 그래?

그렇담 인터넷의 주인은 엄청난 부자겠다!

띵!

인터넷의 주인은 없어. 인터넷은 그냥 존재하는 거야.

우헤헤! 난 신이다.

인터넷에 주인이 있다면 엄청난 권력을 갖고 있겠지요.

다행히도 인터넷에는 주인이 없다!

사용자 모두가 인터넷의 주인이다.

하지만 인터넷을 통제하는 기관이 없어서 나쁜 점도 있어.

낄낄.

불필요한 사용자나 정보가 넘쳐나고

야옹.

모르는 사람들이 만나는 공간인 만큼 인터넷상에서 예절도 중요한 문제지.

인터넷상의 예절은 네티켓 이라고 해.

Hello!

Hi!

안녕!

하이!

방가.

음란 폭력물도 큰 골칫거리야.

모든 것에는 좋은 점이 있는 반면 나쁜 점도 있기 마련이죠.

그래서 슬퍼요.

네트워크를 이용한 여러 가지 개발 중에서 전자 상거래는 사람들의 생활에 큰 도움을 주고 있어.

전자 상거래?

예전에는 고객이 일일이 시장을 돌아다니며 가격을 비교하고 물건을 사야 했지.

그러나 전자 상거래의 등장으로 집안에 편히 앉아서 물건을 살 수 있게 되었다.

백화점에서 안 샀다. 인터넷에서 샀다.

가격 비교도 쉽고

A 1000원 B 980원

신용 카드로 대금을 지불하면 집으로 배달까지 해 주지.

주문하신 물건 왔습니다.

전자 상거래는 미국의 아마존이란 서점이 대표적이었는데, 지금은 여러 분야로 발전되었지.

앞으로도 더욱 발전할 전망이야.

빛의 시대 개막 — 광 인터넷

와! 대단해. 앞으로 인터넷이 어떻게 발전하게 될지 궁금해진다.

그래? 그럼 우리 한번 십 년 후로 가 볼까?

십 년 후로?

아얏! 여… 여기가 어디지?

여긴 화성이야.

화성이라고?

손목시계를 확인해 봐.

와! 초소형 컴퓨터다!

꼼지야, 안녕.
여긴 지구야!
화성은 좋니?

앗, 엄지야!
으...응, 여기는
아주 좋아!

나중에 우리
신혼 여행 오면
딱 좋겠다.

꿈깨라
꿈깨!

돌아왔다.

21세기는 빛을 이용한
광전자 시대가
될 거야.

호!

옷

샥

특히 광통신 기술의
발달로 십 년쯤 뒤에는
현재보다 십만 배
이상 빠른 광인터넷
시대가 될 거야!

헉~ 십만 배?

그리하여

온 세상이 인터넷으로
연결되어 많은 양의
정보를 아주 빠르게
교환하는 빛의 시대가
열리게 될 거야.

피슈슝슝!!

91

마왕성 통과 시험

으~ 갑자기 웬 난폭 운전이야. 지금껏 잘 오다가…

비요옹~

앗! 문이 열렸다.

마왕성이다!

어차피 마왕성으로 오는 길이었는데 덕분에 편안히 왔습니다.

시끄럽다.

얌전히 기다리고 있어! 곧 마왕성의 병사들이 나올 거다.

무서워!

이제 우린 어떡하지? 정말 마왕의 먹이가 되는 거야?

나두 몰라.

으악! 병사들이 오고 있어!

뭐? 벌써?

이 녀석들인가, 거미할멈?

넌 귀엽다.

뭐야, 얘들은.

무서워!

덜덜!

케케케. 저는 그럼 이만 먹이를 넘기고 돌아가겠습니다.

고생했소.

우리에게 맡기고 돌아가시오.

가자! 따라와라!

푸훗!

킥킥!

뭐야? 왜 그래. 겨우 오징어만한 병사 가지고.

저 병사들은 우리에겐 가장 무서운 컴퓨터 바이러스야!

뭐? 그… 그 정도야?

건드리기만 해도 우린 크게 다친다고.

뭘 꾸물대느냐? 동작이 굼뜨구나!

하지만 엄지님과 꼼지님은 사람이니까 병사들의 바이러스는 통하지 않을 거예요.

정말?

흥!

이것들이 바이러스 무서운 줄 모르는군!

받아라. 산타클로스 바이러스다!

좌아악

아야.

따끔

진짜 안 통하네.

으아악! 백신이다앗.

요놈들.

아야.

엄마야! 너무 무서워!

너무 겁먹지 말아요. 사실 그렇게 무서운 괴물은 아니니까요.

그치만 보기만 해도 무서운걸.

문지기 괴물이 하는 일은 컴퓨터에 관한 문제를 내는 일이에요! 모두 맞히면 무사히 들여보내 줄 거예요!

그렇다! 지금부터 내가 내는 문제를 모두 맞혀야 한다.

만약 한 문제라도 못 맞히면!

못 맞히면?

우릴 잡아 먹을지도 몰라.

그… 그 땐

나를 업어 줘야 한다.

업어 달라고?

바보 아냐?

컴퓨터의
중앙 처리 장치와
5대 기본 기능
장치에 대해
다시 한번
알아봅시다.

• **중앙 처리 장치**: 흔히 CPU라고 부릅니다. 인간의 두뇌에 해당하는 가장 중요한 부분으로 컴퓨터의 모든 장치를 제어하고 명령을 실행합니다. CPU의 성능이 좋으면 데이터 처리 속도가 빨라집니다.

• **입력 장치**: 사람의 눈이나 귀의 역할을 하는 장치로, 여러 가지 정보를 받아들여 컴퓨터가 일을 할 수 있게 합니다.

• **기억 장치**: 입력 장치가 받아들인 정보를 기억하고 저장하는 장치로, RAM, ROM, 하드 디스크, 플로피 디스크 등이 있습니다.

• **제어 장치**: 계산 처리 장치의 일부분으로서 옳은 계산을 할 수 있게 데이터의 흐름을 통제하는 장치입니다.

• **연산 장치**: 계산을 하기도 하고 서로 다른 데이터를 비교하기도 하는 컴퓨터가 실제로 일을 하는 장치입니다.

• **출력 장치**: 사람이 기억하고 있는 정보를 입이나 손으로 표현하듯 글자나 도형, 소리 등으로 사람에게 보여 주는 장치입니다.

꼼지, 마왕을 물리치다

마왕성이다!

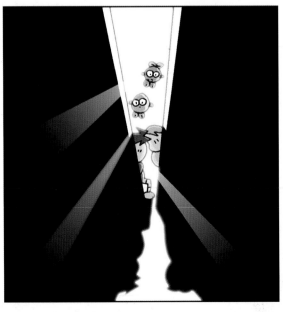

잉? 문이 저절로 열리네.

들어가 보자.

헤… 헤르, 어… 어떻게 좀 해 봐!

틀렸어. 우린 꼼짝없이 잡혔어!

제가 한번 해 볼게요.

미르!

뭐? 미르?

여러분!

모두 총을 거둬 주세요. 저는 E-월드의 공주, 미르입니다.

와아!

공주님, 살아 계셨군요.

공주님!

정말 미르가 공주였나 보네. 모두들 미르를 알아보잖아.

다행이다. 정말!

헤~

공주님이 돌아오셨다.

공주님이 돌아오셨다.

알프레드! 아버님은 어디 계시지?

그… 그게.

임금님은 마왕에게 저항하시다가 결국 바이러스에 그만… 흑흑!

죄송 합니다.

뭐야?

쓸모 없는 것들. 근위병으로 목숨을 유지시켜 주었더니 이렇게 배신을 하다니.

에헴!

대마왕이다.

깔깔깔.

푸하하하, 이 쪼끄만 오징어 가 대마왕이래.

아니, 감히 이놈들이!!

얘들아, 이놈들에게 바이러스의 무서운 맛을 보여 주어라!

와! 정말 대단해.

와

와와

꼼지야, 너무 멋있다.

세 분께 너무너무 감사드려요.

뜨아아아.

감사의 뜻으로 헤르메스에게는 기사직을 수여하며

흠~

짜짠~

그리고 꼼지님과 엄지님은 제가 직접 환상의 컴퓨터 세계를 안내해 드리겠습니다.

야호!

와!

미래의 컴퓨터 세계

자, 이쪽으로 들어가세요.

꼭 젤리 속을 통과하는 것 같아.

히야, 나도 날 수 있네.

정말.

이곳은 미래의 컴퓨터를 보여 주는 곳이에요.

이 컴퓨터는 영화에서나 보던 음성 인식, 영상 인식 컴퓨터예요.

안녕하세요.

우아! 말을 하네. 근데 입력 장치가 없어!

저는 보고 듣고 말할 수 있기 때문에 입력 장치는 필요 없어요.

대화도 하네.

이것은 사람의 표정과 목소리를 분석하여 기분도 맞힐 수 있어요.

기분 좋아 보이네요.

히히, 신기하다.

107

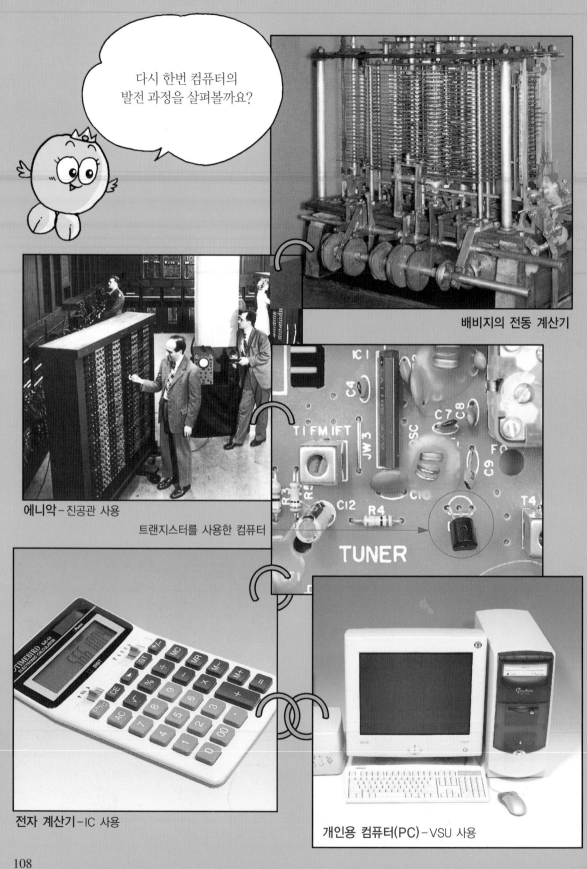

다시 한번 컴퓨터의
발전 과정을 살펴볼까요?

배비지의 전동 계산기

에니악-진공관 사용

트랜지스터를 사용한 컴퓨터

TUNER

전자 계산기-IC 사용

개인용 컴퓨터(PC)-VSU 사용

컴퓨터가 만들어 낸 전자 예술

소리를 처음 녹음한 사람은 미국의 토머스 에디슨으로 1877년 축음기를 발명했지요.

와!

토머스 에디슨이 발명한 축음기-틴호일
1877년에 발명한 원통형 녹음기. 얇은 양철판으로 싼 원통에 홈을 파서 소리를 담았다.

토머스 에디슨

이어서 나온 녹음기는 바늘이 음반의 홈에 기록된 진동을 읽어 소리를 내도록 되어 있었지요.

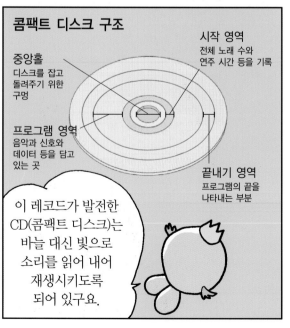

콤팩트 디스크 구조

중앙홀
디스크를 잡고 돌려주기 위한 구멍

시작 영역
전체 노래 수와 연주 시간 등을 기록

프로그램 영역
음악과 신호와 데이터 등을 담고 있는 곳

끝내기 영역
프로그램의 끝을 나타내는 부분

이 레코드가 발전한 CD(콤팩트 디스크)는 바늘 대신 빛으로 소리를 읽어 내어 재생시키도록 되어 있구요.

1990년대 말에는 DVD(디지털 비디오 디스크)가 나왔어요. 이 DVD 한 장에는 축음기 음반 백만 장에 맞먹는 양의 음악이나 영상을 담을 수 있답니다.

우아! DVD에 그렇게 많은 정보를 담을 수 있다니!

정말 작은 거인이구나!

앞으로는 음악이 컴퓨터로 작곡되고 연주되는 일이 더 흔해 질 거예요.

컴퓨터가 드럼을 치고 바이얼린을 연주하다니 정말 신기하죠. 음악뿐만 아니라 컴퓨터가 그린 그림도 인기를 끌게 될 겁니다.

이렇듯 로봇은 많은 부분에서 응용되어 쓰이게 될 거예요.

정말! 예술가, 아니 예술 로봇 이네.

컴퓨터 그래픽이란?

그런데 미르야, CG가 뭐야?

CG는 컴퓨터 그래픽의 약자예요. CG는 오늘날 문화 발전에 엄청난 영향을 주었어요.

이미 1950년대부터 컴퓨터로 그림을 그리기 시작했는데

영화와 게임 등에서 CG가 사용되면서 CG 기술도 급격히 발달했지요.

토이 스토리와 같은 영화는 100퍼센트 CG로 제작되어 흥행에도 큰 성공을 거두었어요.

게임 역시 CG가 많이 활용되는 분야예요.

CG로 제작한 사이버 가수가 나오는가 하면

게임 캐릭터가 세계적인 인기를 끌기도 했죠.

이미 죽은 사람을 불러내어 공연을 시킨다거나

영화에서 보는 공룡의 모습이나 소행성과 지구의 충돌 장면 등을 사실처럼 나타낼 수 있는 것도 CG의 기술이죠.

이 E-월드도 CG 기술 덕분에 탄생하게 된 거예요.

E-월드도 CG였어?

아하.

홀로그램의 세계

크아아~

꺄악!

꼼짝없이 죽었구나!

쏘옥

꽈짝!

사… 상어 뱃속이 보인다. 나 벌써 죽었나 봐.

저건 진짜 상어가 아니라 상어의 홀로그램이에요.

하하하, 겁쟁이.

호… 호 홀로그램이라고? 그럼 나… 나, 살아 있는 거니?

아직도 무서워.

홀로그램은 3차원 영상을 실현한 일종의 CG 기술이에요.

깜짝 놀랐잖아.

홀로그램은 영국의 물리학자 D. 가보르가 처음 발명했지.

멋져! 입체 영상이야!

홀로그램을 쓰면 보다 실감나게 영상을 볼 수 있겠네.

홀로그램 기술은 현재도 쓰이고 있지만 앞으로는 일상 생활에서도 많이 쓰이게 될 거예요.

이렇게 장식품 또는 가족 사진 대신 홀로그램이 각자의 집에 놓여질 날도 멀지 않았죠.

와아! 우리 가족의 홀로그램이다!

전화가 컴퓨터와 결합되다

왓슨군, 여기 와서 좀 도와 주게!

선생님, 들렸습니다. 분명히 들렸어요!

정말?

1876년, 미국의 그레이엄 벨이 세계 최초로 전화기를 발명 하는 데 성공했습니다.

와하하하, 성공이야, 대성공이야.

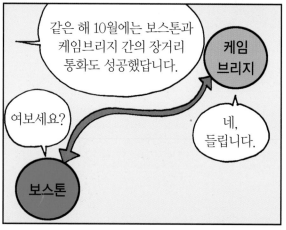

같은 해 10월에는 보스톤과 케임브리지 간의 장거리 통화도 성공했답니다.

케임 브리지

여보세요?

네, 들립니다.

보스톤

어떤 사람은 이런 전화기를 안 좋게 보기도 했죠.

그건 장난감에 불과해!

뭐요?

그러나 불과 4년 만에 미국에서만 7만 명이 넘게 전화기를 쓰게 되었죠.

저렇게 인기 있을 줄 알았더라면 내가 투자할걸!

지금은 전화기 없는 집이 거의 없잖아요?

예전의 전화기는 말을 하는 송화기와 말을 듣는 수화기가 따로 있었어요.

송·수신기가 따로 있는 전화기

다이얼 방식의 전화기

버튼 방식의 전화기

전화기의 변천사

그래서 두 손을 모두 써서 통화를 해야 했죠.

아이고, 부침개 다 타네.

1990년대 말에는 무선 이동 통신이 보편화되었다.

응, 지금 여기 화장실이걸랑.

까까.

마침내 전화기와 컴퓨터가 결합하여 다양한 기능을 갖는 시대가 열렸죠!

절묘한 만남이네.

여보세요! 내 말 들리니?

예전에는 전화기를 통해 소리만 전달되었죠.

요즘은 그림이나 문자 등 각종 시각 정보도 함께 전달할 수 있게 되었다.

이것은 IMT-2000 기술로 가능하게 되었다.

포기하면 내 딸 못 준다.

비디오 카메라

이런 통신 기술이 가능해진 건 모두 디지털 기술의 발달 때문이에요!

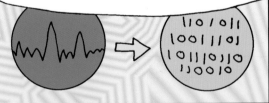

연속적으로 변화하는 형태로 전류를 전달하던 아날로그 방식이 0과 1의 숫자만으로 조합되어 정보를 전달하는 디지털 방식으로 바꼈죠.

통신 기기는 더 작아지고 많은 자료를 주고받을 수 있게 되었답니다.

와아!

THIS

광섬유와 레이저 통신

와, 하늘에 전선이 거미줄처럼 깔려 있네.

어지럽다.

하하, 이건 전화선이에요.

예전에는 전봇대 위로 전화선을 연결했거든요.

휙~

휙~

정말이야?

뭐? 저게 전화선이라고?

네!

오늘날에는 전화선이 거의 사라지고 광섬유가 들어 있는 케이블이 땅 밑에 깔려 있다.

OPTICAL CABLE FOR DUCT (S/M 36 FIBRAS)

광 케이블과 선 끝에서 불빛을 내는 광섬유

광섬유라니? 빛을 내는 섬유란 말야?

광섬유라면 이렇게 번쩍번쩍 빛나는 섬유를 말하는 건가?

호호, 광섬유란 빛을 통과시킬 수 있는 얇고 가는 유리선을 말해요.

빛을 통과시킨다구?

과거에는 전화선을 구리선으로 사용했다.

나? 구리선.

난 너구리!

하지만 구리선으로는 한 통화를 위해 하나의 선이 필요했다.

수천 가닥의 전화선이 필요!

수천 대의 전화를 놓으면

그러나 광섬유는 단 한 가닥으로도 수천 통의 통화를 동시에 할 수 있다.

와우!

나 하나면 충분해!

광섬유는 머리카락보다도 가늘다.

광섬유로 가발을 만들 수 있을까?

와! 대단하다. 어떻게 이 가느다란 선으로 수천 명이 동시에 통화할 수 있지?

광섬유는 전기 대신 레이저라는 적외선 광선을 사용하거든요.

이봐 비켜.

힉.

120

레이저라면 만화에 나오는 이런 레이저 광선을 말하는 건가?

이크.

아직 그런 광선총 같은 데는 쓰이지 않지만

비켜.

레이저는 많은 곳에서 쓰이고 있답니다.

각종 실험 장비나 CD 재생기 바코드 인식기, 외과 수술기 등에 쓰이고 있다.

삐빗.

레이저는 '분자나 원자의 진동을 이용해 빛을 강하게 만들어 보낸다'는 뜻이에요.

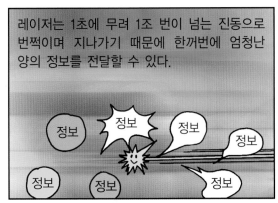

레이저는 1초에 무려 1조 번이 넘는 진동으로 번쩍이며 지나가기 때문에 한꺼번에 엄청난 양의 정보를 전달할 수 있다.

정보 정보 정보 정보 정보 정보 정보

이렇게 해서 수천 권 분량의 정보를 몇 초 만에 옮길 수 있는 것이다.

도서관이 내 방에 있네.

이런 레이저를 사용하여 이젠 전화를 받는 상대방의 모습을 실물과 똑같은 입체 영상으로 보여 주는 홀로그램 전화도 나오고 있다.

엄지야, 수영장 같이 가자.

미안! 난 공부를 해야 돼!

전선 없는 세상 — 무선 통신

1912년 4월 14일

와하하! 꼭 하늘을 나는 것 같아.

타이타닉 호

어? 그런데 저게 뭐지?

뭐가?

까아악, 빙산이다!

부딪치겠어.

영국의 4만 톤급 호화 여객선인 타이타닉 호는 승객 2,200여 명을 실고 대서양 횡단의 첫 항해에 나섰다가 빙산에 부딪쳤지요!

으악!

까악!

으악!

나, 빙산!

영화 〈타이타닉〉

승객 1,513명이 목숨을 잃은 엄청난 사고였는데, 한 무선 통신사의 발 빠른 구조 요청으로 마침 근처를 지나가던 배에 의해 구조를 받아 700명의 승객이 목숨을 구했습니다.

배가 가라앉는다, 도와 줘, 빨리!

무선 통신 덕분에 여러 생명을 구할 수 있었다.

빨리 올라 오시오.

와! 살았다.

요즘은 휴대 전화의 보급으로 즉시 구조 요청을 할 수 있을 것이다.

SOS!

119죠?

구명 보트!

휴대 전화에서 발신된 무선 전파는 공기 속을 빛의 속도로 가로질러

아니, 댁은 뉘신데 나만큼이나 빠르오?

나? 전파올 시다.

빛

전파

가장 가까운 인공 위성이나 수신탑을 통해 구조대에 연결되어 신속하게 구조 활동을 펼칠 수 있게 할 것이다.

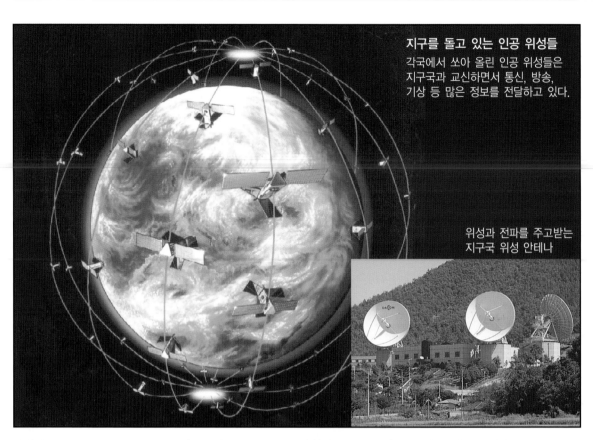

지구를 돌고 있는 인공 위성들
각국에서 쏘아 올린 인공 위성들은
지구국과 교신하면서 통신, 방송,
기상 등 많은 정보를 전달하고 있다.

위성과 전파를 주고받는
지구국 위성 안테나

이러한 무선 통신 기술의 발달로
컴퓨터를 비롯한 각종 기기들을 연결했던
복잡한 전선도 없어지고 인터넷 접속도
전용선에 연결하지 않고 위성을
통해 이루어질 거예요.

눈이 핑
돌 정도로 복잡한
선 없이도

기기들을
편리하게 쓸 수
있다구요.

무선 통신의 시작은 1895년 이탈리아의
마르코니가 무선 전신을 성공하면서부터였다.

토지를 가로질러
무선 전신하는 데
성공했다.

1901년에는 유럽에서 미국으로 무선 전보를
보낼 수 있었다.

뚜우뚜우

삐이삐이

급기야 1909년에는
개인용 무선 수신기가
나올 것이라는 예언까지
나왔답니다.

꿈 같은
소리야!

그러나 1950년대에 이르러 트랜지스터를 사용한
소형 무선 수신기가 실제로 개발되었다.

정말 대단해.
그렇게 옛날에
나왔단 말야?

그러나 이런
모습을 해야
했다구.

앞으로는 손목에 차는 전화기로
화상 통신까지 할 수 있게 될 거라는
것은 앞에서 배워 알고 있지요?

무선 종이컵
전화는 언제쯤
나올까?

띵!

출근이 필요 없다 ― 재택 근무

직장인이 된 꼼지

아휴, 답답해! 무슨 사람이 이렇게 많담.

잠깐, 스톱! 스톱!

헥헥, 출근하는 데만 하루 열량을 다 써 버렸네.

직장인이 된 엄지

빵

빵

아휴, 이게 도로야, 주차장이야?

빵

빵빵

이게 바로 교통 지옥이라는 거구나.

이건 전쟁이야.

이게 현재의 교통 상황입니다.

뛰!!

뿡~

빵

빵

으으, 정말 복잡하다!

빵 뛰!!

시청으로 갈 테니 가장 빠른 길을 찾아 줘.

삐빗

알겠습니다. ○○ 도로 교통 원활합니다.

컴퓨터 교통 지도

뚜웃뚜웃 ~!

컴퓨터 교통 지도로 차 안에서도 정확한 위치와 빠른 길을 알 수 있다.

이렇게 앞으로는 교통 지옥을 뚫고 출근하는 일은 거의 없을 거예요.

컴퓨터가 알아서 해 주니까 편리하군.

그리고 집에서 일을 하는 재택 근무도 보편화될 거예요.

우리 만화가들은 이미 재택 근무를 하고 있지.

지금도 인터넷으로 화상 회의를 하고

부장님, 이번 프로젝트는 제가 진행하겠습니다.

알았네.

서류 역시 E-메일로 주고받는 경우가 많아지고 있다.

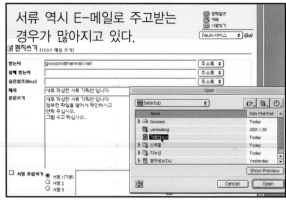

멀리 떨어진 사람들끼리의 공동 작업도 활발해질 것이다.

이건 어떻게 하는 게 좋을까요?

어흠, 전문가적 입장에서 봤을 땐…

학생들 역시 학교에 가지 않고 집에서 공부하게 될 것이다.

오늘은 「수의 이해」 편을 하겠습니다.

숙제도 네트워크로 검색하며 할 테고

세계에서 가장 빠른 굼벵이의 속도는?

어휴, 이것도 숙제라고.

시험도 온라인으로 볼 날이 올 것이다.

컨닝하지 마라!

모… 모르겠다, 으~

빨리 그런 학교에 다니고 싶다!

맞아!

그렇게 되면 예쁜 엄지님을 매일 만날 수 없을 텐데요?

크~

뭐? 그… 그건 싫어!

인터넷으로 연결된 가정

자, 이쪽을 보세요. 컴퓨터로 주식을 거래하고 있어요.

사람은 별로 안 보이네!

주식 시장이나 은행 등에서는 벌써부터 온라인 시스템이 활용되고 있죠.

온라인 시스템이란?

2개 이상의 컴퓨터가 중앙 처리 장치에 연결되어 입력이나 출력 장치의 기능이 중앙 처리 장치에 의해 처리되는 방식을 말합니다. 거래를 시작한 은행이 아닌 다른 은행에서 저금하고 찾을 수 있는 것도 바로 온라인 시스템 덕분입니다.

중앙 처리장치

인터넷에선 이미 지폐 대신 전자 화폐로 물건값을 결재하고 있다.

| 상품번호 A-0072 |
| 상품가격 30,000원 |
| 결재방법 전자화폐 |

OK

딸칵

또 이웃집과 통신망이 연결되어 화상 통신으로 반상회를 하는

반장님!

아, 순이 어머님!

사이버 아파트가 인기를 끌고 있다. 요즘은 바야흐로 디지털 사이버 시대이다.

놀이터 주변에 부모 방범대를 만듭시다.

순번제로 근무를 섭시다.

좋아요, 찬성!

찬성!

반대!

집안 일은 컴퓨터에게 맡겨라!

조용~
나는야 밤손님.

끌끌끌, 나는 오늘 이 집을 털 거야. 잘 보라구. 내가 얼마나 문을 잘 여는지!

응? 그런데 이건 뭐야?

난 컴퓨터 자물쇠.

화면에 눈을 갖다 대고 암호를 말씀해 주신 뒤 엄지손가락으로 버튼을 누르십시오.

뭐…
뭐라구?

이렇게 지문, 눈동자 등을 확인해서 출입문을 열게 하는 컴퓨터 자물쇠를 사용하게 될 것입니다.

도둑 사표 써야겠군.

뿐만 아니라 로봇 경비원이 집을 지키고 로봇 가정부가 집안의 청소와 빨래 등을 하게 될 것입니다.

도둑 살려!

로봇이 없어도 걱정할 필요가 없다.

30분 후에
도착할 테니 저녁
좀 준비해 줘.

컴퓨터의 지시로 시간에 맞춰 요리도 하고

띵!

히야,
좋은 냄새!
야, 맛있겠다.

가스가 새거나 불이 나면

슈우우우

컴퓨터가 소화도 하고 신고도 할 것이다.

불이 났습니다!
모두 대피
하십시오!

쏴아아아아아~

사람에 반응하는 조명 장치나

팟~

아~ 시원해!

인공 지능 에어컨 등은
지금도 사용되고 있다.

하지만 여기저기 설치된
무선 감시 카메라는

삐웃!

너무 사생활을
침해하는 게
아닐까요?

컴퓨터로 제어되는 기계와 로봇

건축 설계나 공장 설비 등 복잡한 구조물을 먼저 보기 위해 컴퓨터를 사용한다는 건 알고 있죠?

물론이지!

자동차도 컴퓨터로 설계하고

생산 조립도 컴퓨터가 자동으로 하고 있잖아!

자동차를 조립하는 로봇

가까운 미래에는 하루에 수천 대를 생산하는 자동차 공장에도 관리 기술자 한두 명만 있으면 될 거래요.

컴퓨터가 직접 생산, 관리하고 문제가 생기면 바로잡고 수리하게 될 테니까요.

설마!

이미 원자력 발전소의 고장난 원자로는

로봇이 수리하고 있어요.

미로 찾기용 로봇

지뢰 제거용 로봇

원전 작업용 로봇

로봇 축구 경기

앞으로는 전쟁도 컴퓨터 시스템으로 레이저 빔을 쏘고 무인 전투기를 조종하여 치르거나 막강한 전투 로봇이 대신하게 될 거예요. 그러나 이렇게 어두운 면만 있는 것은 아니죠. 사람 대신 위험한 지뢰를 제거하거나 로봇들이 축구 경기도 벌여 흥미를 끌기도 합니다.

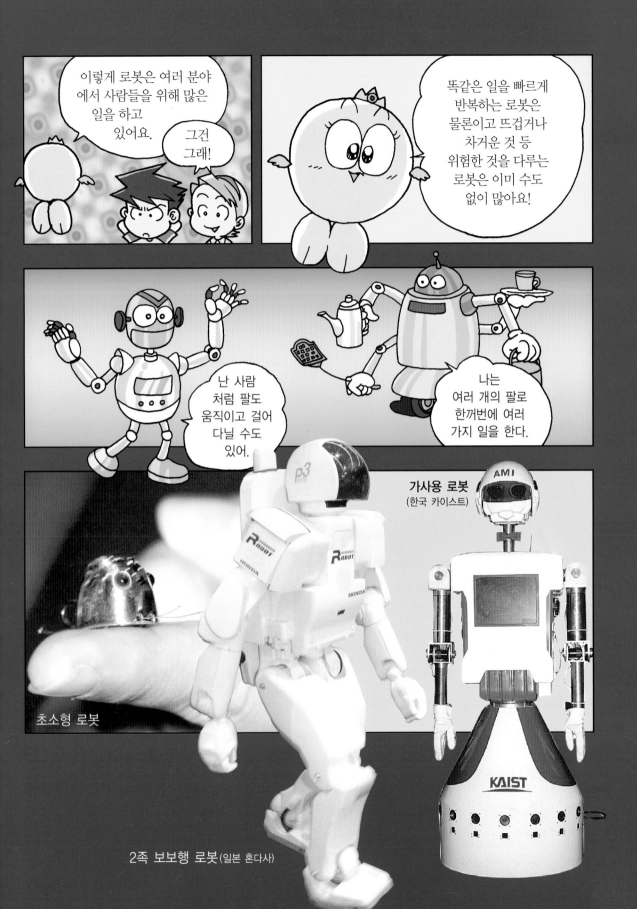

이렇게 로봇은 여러 분야에서 사람들을 위해 많은 일을 하고 있어요.

그건 그래!

똑같은 일을 빠르게 반복하는 로봇은 물론이고 뜨겁거나 차가운 것 등 위험한 것을 다루는 로봇은 이미 수도 없이 많아요!

난 사람처럼 팔도 움직이고 걸어 다닐 수도 있어.

나는 여러 개의 팔로 한꺼번에 여러 가지 일을 한다.

가사용 로봇
(한국 카이스트)

초소형 로봇

2족 보보행 로봇(일본 혼다사)

우주 왕복선 수리 로봇

고층 건물 건설 로봇

화재 구조 로봇

해저 탐사 로봇

원자로 수리 로봇

땅속 탐사 로봇

화학 공장 오염 탐지 로봇

뿐만 아니라 현미경으로나 볼 수 있는 작은 마이크로 로봇들도 만들어질 거예요.

빈대 같은 로봇을 만든다면 비행기 엔진과 같은 복잡한 기계 속으로 들어가 고장 여부를 확인하고 수리도 하게 될 것이다.

됐다! 성공이야!

미생물만한 크기의 로봇을 만든다면 눈에 보이지도 않을 만큼의 약투여 등 의학 부분에 유용하게 사용될 수 있다.

혈구보다 작은 로봇을 만든다면 혈구 속으로 들어가 인체에 해로운 것을 없애는 일도 할 수 있을 것이다.

그런데 정말 그런 일들이 가능할까?

그럼. 불과 50년 전만 해도 사람이 달에 간다는 건 상상도 못했잖아.

맞아! 이젠 옛 이야기가 되어 버렸지!

지구를 지키는 컴퓨터

하늘에는 오늘도 많은 위성들이 지구를 돌며 여러 가지 일들을 하고 있어요.

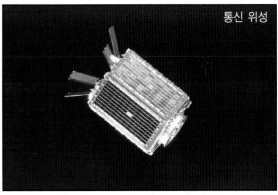

통신 위성

기상 관측, 군사 정찰, 자료 탐사, 통신 등 여러 가지 위성이 있지요.

기상 위성

하하하, 지구를 누가 지킨다고?

엥?

?

난 지구의 수호자 스판맨!

샤삭!

?

자! 잘 보거라!

핏-

뭐야!

우아!

태풍

오홋! 거대한 태풍이다!

주춤!

큰일이군! 어서 사람들에게 알려야겠다!

쌔앵-

이봐요, 지금 거대한 태풍이 몰려오고 있소.

알고 있소.

꾹

인공 위성에서 보내 온 자료를 보면 이번 태풍은 우리 나라에는 큰 영향을 미치진 않을 거요.

끙~

이처럼 컴퓨터는 지구상에서 일어나는 각종 재해를 감시하는 데에도 활용되고 있죠.

와!

남극 상공의 오존층 분석도
붉은색 부분이 오존층에 구멍이 뚫려 있는 상태를 나타낸다.

오존층에 생긴 구멍을 조사하거나

지진 화산 등의 관측에도 활용되지요.

체면이 말이 아니군.

컴퓨터가 우주를 감시하다

그래, 내가 지킬 것은 작은 지구가 아니라 크나큰 우주였어!

이크! 소행성이 지구를 향해 돌진하잖아!

깜짝

쿠콰콰콰

좋아! 내가 막아 주겠어! 소행성, 네 이놈!

으~ 슈와아아

까오!

팅

슈이이이

파캉!

허블 망원경
컴퓨터 시스템과 망원경을
장착하고 각종 우주 정보를
보내 오고 있다.

컴퓨터는 우주를
감시하며 수백억 광년
밖의 별을 관측하고 있답니다.
물론 소행성의 지구 접근도
미리 알아낼 수 있지요.

화성 탐사 위성
정교한 컴퓨터 시스템 없이는 불가능하다.

또한. 각종 물질의
성분도 분석한다.

인공 위성－우주의 정보를 수집하고 있다.

이처럼 컴퓨터는
우주 평화에도
기여하고 있죠.

난 다시
스크린 속으로
들어가야겠어.

하하하하!

143

해커가 침입했다

앗!

엄지야, 꼼지야! 무사하니?

물론이죠. 저흰 외삼촌 덕에 신나는 컴퓨터 여행을 즐기는 중인걸요.

그래? 다행이구나. 하지만 이곳은 지금 큰 소동이 일어났다.

애앵

애앵

도대체 무슨 일이에요?

E-월드 시스템에 해커가 침입해서 데이터를 마구 파괴하고 있단다!

해커요?

일단 놀라고는 봤는데 너 해커가 뭔 줄 아니?

·····

해커는… 일단 난 시스템 복구를 해야 하니 설명은 헤르메스에게 들어라.

내가 얘기해 줄게. 해커에 대해 이야기하려면 먼저 컴퓨터 개발 초기인 1950년대로 거슬러 올라갈 필요가 있어.

초기의 컴퓨터는 덩치가 엄청나게 컸다는 건 이미 말했을 거야. 게다가 사용료도 비쌌지.

그래서 가난한 사람들은 쓸 엄두도 못 냈지. 이런 현상은 PC가 등장하기 전까지 계속되었어.

이런 상황에 불만을 품은 학생들이 있었지.

시간은 너무 적어!

사용료는 너무 비싸고

이들은 불법적으로 컴퓨터를 사용하기로 마음먹었어. 이 MIT의 학생들이 최초의 해커들이었지.

정보는 나눠 갖는 거야.

이 학생들의 주장을 들어 볼까?

미래 사회는 컴퓨터가 움직인다. 컴퓨터를 얼마나 잘 활용하는가가 생존의 열쇠가 될 것이다.

흐흐흐, 하지만 컴퓨터를 사용할 수 있는 건 나 같은 부자들이지.

우리같이 가난한 사람들은 컴퓨터를 쓸 기회도 없구나!

그래서 결국 부자는 더욱 부자가 되고
가난한 사람은 더욱 가난해졌다.

얼마짜리
컴퓨턴데
아무나 쓰게
할 수 있나?

치!

그건 안 된다!
정보화에
있어서만이라도
사람들은
평등해야 한다.

그래서 이들은 컴퓨터 암호를
해독하여 시스템에 침입, 컴퓨터를
마음대로 활용했어.

몰래라도
써야겠다!

초기의 해커들은 크게 피해를 입히지
않았기 때문에 별문제가 없었어요.
그래서 이들을 '컴퓨터에 미친 천재'
라는 뜻으로 해커라 불렀죠.

그런데 언제부턴가 이런 해커의
의미가 변질되기 시작했다.

켈켈켈!

바야흐로 정보가 엄청난 돈이 되는
시대가 됐거든요.

차츰 해커들은 정보를 빼내 돈을 벌기
시작했다.

다 내
돈이다.
ㅎㅎㅎ.

게다가 마음에 들지 않는
시스템을 파괴하기도 했다.

다
지워라!

멍!

지직!

점점 해커에 의한 피해가 속출하기 시작하면서

기업은 물론

정부나

은행도

해커에 대한 인식이 아주 나빠졌지요. 그래서 이런 나쁜 해커들을 「크래커」라 부르기도 한답니다.

크래커란 '부수는 사람' 이란 뜻이지.

그런데 이런 나쁜 해커가 침입해서 E-월드의 데이터를 마구 파괴하고 있나 봐.

그런 것 같아요!

데이터를 파괴하면 무슨 일이 생기는데?

그러면 당연히 가상 세계인 E-월드가 사라지지!

E-월드가 사라져?

으앙, 그럼 우린 어떻게 되는 거야? 무서워!

어머?

조금만 기다려 보자구! 지금 박사님께서 복구 작업중이니까!

박사님, A시스템 복구 완료했습니다.

해커가 침투한 경로도 모두 봉쇄했습니다.

다행입니다. 이제야 안심이 되는군요!

기쁜 소식이다. 모든 시스템이 다시 정상으로 복구되었다.

야호!

이런 일을 당하고 보니 나 컴퓨터를 좀더 알고 싶다는 생각이 들어!

해커들아! 기다려라! 꼼지님이 나가신다!

하하하하!

아자!

아자!

공포의 컴퓨터 바이러스

아… 정말 다행이에요.

흐늘 흐늘

아, 그런데 왜 이렇게 어지럽지?

공주님?

왜 그래? 미르?

100110101.

이런, 미르 공주님이 사라지려고 해!

무슨 소리야! 사라지려 하다니!

뭐야?

모르겠어! 아직 시스템이 정상으로 돌아오지 않았나 봐.

뭐?

박사님, 큰일 났습니다! E-월드 내부에 악성 바이러스가 출현했습니다.

뭐라구요? 어서 빨리 백신 프로그램을 돌려요!

소용없습니다! 지금껏 발견된 적 없는 신종 바이러스입니다.

네트워크 전체가 감염되기 전에 어서 빨리 E-월드 시스템을 정지시켜야 됩니다.

아니 헤르, 너까지 사라지려고 해!

으~

아무래도 조금 전 해커가 나타났을 때 악성 바이러스를 심어 둔 게 분명해!

바이러스라고? 그거라면 걱정 마! 내가 해치울 테니까!

그… 그럴 수 있으면 좋겠지만 이번 것은 눈에 보이지도 않고 더 강력한 것 같아!

으!

헤르, 미르, 힘내!

아니, 왜 바이러스 같은 것이 생겨서 너희를 괴롭히는 거니?

컴퓨터를 인간이 만들었듯이 사실 컴퓨터 바이러스를 만든 것도 인간이라고.

그래서 프로그램 속에 바이러스를 넣기
시작했다.

끽낄.

어디 한번 나를
불법 복제해서
써 보시지!

우히히, 오늘도
공짜로 프로그램을
한번 써 볼까?

불법으로 복제하기 위해 컴퓨터 프로그램에
접근할 경우

아니! 이게 뭐야. 다른
프로그램까지 지워졌잖아.

처음에는 이렇게 자기 방어적 성격으로
바이러스를 만든 것이다.

그러나 이후 나쁜 생각을 가진
프로그래머들에 의해서

우히히,
난 천재야.

바이러스로
증명할 테다.

점차 치명적, 무차별적인 바이러스가 생겨났다.

난 러브에

난 13일의
금요일에

난
미켈란젤로에
감염됐다구.

153

하지만 어둠이 있으면 빛도 있는 법!

으악, 눈부셔!

바이러스를 퇴치할 수 있는 '백신'이란 프로그램이 곧 개발되었다.

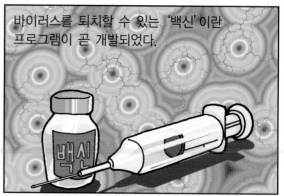

백신은 바이러스를 효과적으로 퇴치하지만

얍!

한층 강력해진 바이러스가 다시 나타나게 되고

악!

이런 싸움은 아직도 끝없이 이어지고 있다.

거기 서!

메롱!

그럼 빨리 백신 프로그램을 깔아서 바이러스를 퇴치해야지.

그… 그게.

지금 E-월드에 침투한 바이러스는 아직 백신이 개발되지 않은 신종 같아.

그럼 우리가 어떻게 해야 하는 건지 말해 줘, 헤르.

방법은 모든 프로그램을 삭제하고 바이러스에 감염되지 않은 파일을 다시 까는 것뿐야.

그럼 헤르와 미르는 영원히 사라지잖아.

그렇지 않아.

다만 너희와의 기억이 사라질 뿐 우리는 다시 태어나게 될 거야.

엄지야, 꼼지야, 큰일났다. 더 늦기 전에 프로그램을 삭제해야 하니 빨리 밖으로 나와라.

엄지야, 꼼지야, 우린 괜찮아. 어차피 우린 컴퓨터로 만들어진 가상의 생물인걸. 우린 나중에 좀더 건강한 프로그램으로 다시 태어나게 될 거야.

싫어! 안 돼요! 미르와 헤르를 두고 떠날 순 없어요.

헤르, 같이 가자!

윽!

155

박사님,
시간이 없습니다.

잠시만
기다려 주세요.

아이들이 작별 인사를
하는 동안만…

헤르, 미르, 너희를
잊지 않을 거야.

다시 올게. 그 때
까지 꼭 건강해져야 해.

너무
걱정하지 마!

저희는 죽는 게
아니에요. 반드시
복구될 테니 어서
빨리 떠나세요.

준비됐니?

네.

네.

좋아, 간다!
전송 시작!

떨칵!

으아아아!

꺄아악

꺄악~

돌아왔다!

파바바팟!

그래,
돌아왔구나!

외삼촌!

아저씨!

컴퓨터 세계로의 새로운 여행

몇 달 후

A-2

외삼촌, 저희 왔어요.

안녕하세요!

그래, 잘들 있었니? 건강해 보이는구나!

헤헤, 그럼요!

와! 사용자 수가 많이 늘었네요.

정말!

사용자 수 : 4756789명
최고 : 56711명
최저 : 34810
평균 : 4576

다 너희 덕분이란다.

이미 해킹 방지와 바이러스 예방 백신도 완벽하게 갖추었단다.

앞으론 사용자가 계속 늘어날 전망이야.

와!

헤헤.

앗! 헤르다.

어디!

이렇게 정해진 시간 내에 일을 처리하는 시스템을 실시간 시스템 이라고 하지요.

다른 어린이들과 여행을 하고 있어.

건강해 보여서 다행 이다. 흑흑!

너희 다시 E-월드로 여행을 떠나 보겠니?

미래를 열어 갈 컴퓨터 세상이 어떤 모습이 될 것인지, 그것은 컴퓨터를 사용하는 사람들에게 달려 있다.

예!

Why?

과학을 잘하고 싶다면, 우리 주변에서 볼 수 있는 모든 것에 '왜?' 라는 질문을 던져 보세요.
과학의 발전은 아주 작은 호기심에서 출발합니다.

Why? 우주
감수 조경철
(이학박사)

Why? 바다
감수 한상준
(한국해양연구원 원장)

Why? 날씨
감수 안명환
(전 기상청장)

Why? 곤충
감수 최임순
(이학박사)

Why? 똥
감수 박완철
(한국과학기술연구원 책임연구원)

Why? 물
감수 신항식
(한국과학기술원 건설환경공학과 교수)

Why? 로봇
감수 오준호
(한국과학기술원 기계공학과 교수)

Why? 외계인과 UFO
감수 맹성렬
(한국유에프오연구협회 연구부장)

Why? 자연재해
감수 이윤수
(한국지질자원연구원 선임연구원)

Why? 질병
감수 지제근
(서울대학교 의과대학 명예교수)

Why? 물리
감수 김제완
(과학문화진흥회 회장)

Why? 인체
감수 박용하
(한국생명공학연구원 책임연구원)

Why? 컴퓨터
감수 박순백
(컴퓨터 칼럼니스트)

Why? 식물
감수 김태정
(한국야생화연구소 소장)

Why? 동물
감수 최임순
(이학박사)

Why? 지구
감수 조경철
(이학박사)

Why? 환경
감수 최열
(전 환경운동연합 사무총장)

Why? 생명과학
감수 박용하
(한국생명공학연구원 책임연구원)

Why? 핵과 에너지
감수 김정흠
(전 고려대학교 명예교수)

Why? 사춘기와 성
감수 이혜성
(한국청소년상담원 원장)

Why? 공룡
감수 이융남
(한국지질자원연구원 선임연구원)

Why? 화학
감수 김건
(고려대학교 이과대학장)

Why? 발명·발견
감수 왕연중
(한국발명진흥회 특허관리지원팀장)

Why? 남극·북극
감수 김예동
(해양연구원 부설 극지연구소 소장)

Why? 화석
감수 이융남
(한국지질자원연구원 선임연구원)

Why? 독 있는 동식물
감수 심재한
(한국 양서·파충류 생태연구소 소장)

Why? 동굴
감수 우경식
(강원대학교 지질학과 교수)

Why? 갯벌
감수 임현식
(목포대학교 갯벌연구소 소장)

Why? 로켓과 탐사선
감수 채연석
(한국항공우주연구원 연구위원)

Why? 교통수단
감수 송성수
(과학기술정책연구원 연구위원)

한국과학문화재단 선정 우수과학만화(우주·바다) / 한국과학문화재단 선정 우수과학도서(날씨·똥) / 교보문고 좋은책 150선 선정도서(곤충) / 한국일보 제정 한국교육산업대상 수상